Glimpses of China

Short Fiction for Chinese Study

with Text in Traditional & Simplified Characters

✧

Edited by Jeannette Faurot

✧

China Books and Periodicals, Inc.
San Francisco

We would like to thank the Foreign Languages Press of Beijing, China, for permission to choose works from *100 Glimpses into China,* 1989; and Mr. Charles Wong of China Books for his work in formulating the questions in the text.

Cover Design by Robbin Henderson
Book Design by Weldon Woo

Library of Congress Catalog Card Number: 91-73128
ISBN 0-8351-7479-7

Printed in the United States of America by
China Books & Periodicals, Inc.

CHINA
BOOKS
& Periodicals, Inc.

Contents (Traditional Characters)

Contents (Simplified Characters)

INTRODUCTION
AND SUGGESTIONS FOR USE

The stories in this volume all belong to a genre called "short short stories," or "microstories" (wēixíng xiǎo shuo 微 型小说). They are selected from Chinese periodicals of the late 1970s and the 1980s, and are presented here in their original form—that is to say, they are not simplified for student readers.

Short short stories have been immensely popular with the Chinese public since the thaw in literary censorship in post-Mao China. They appear not only in literary journals but also in newspapers and popular magazines. Sometimes the writers are well established figures in the literary world, like Wang Meng and Feng Jicai, but often they are workers or students trying their hand at fiction for the first time. The audience is as varied as the writers: intellectuals, students (often quite young students), and workers all find short short stories amusing and appealing.

As a popular genre the stories generally avoid the avant-garde techniques of contemporary experimental literature, and concentrate instead on two values of traditional Chinese fiction: characterization and (implied) social comment. One group of these stories pokes fun at bureaucratic ineptitude and hypocrisy, allowing readers to laugh at the absurd situations they constantly encounter in their daily lives when trying to deal with the powers that be. Another group exposes the selfish, deceitful, stingy behavior of ordinary people, people like the readers themselves, challenging them to examine their own behavior and attitudes. Some of the stories may evoke a smile of amusement, some a sarcastic sneer, and some perhaps a sympathetic sigh. Usually no direct comment is made, leaving the task of evaluating the described event to the reader. This is not to suggest that there is any ambiguity in the intended reading of the stories. The author's moral stance is almost always crystal clear, as the stories usually imply a need for more honesty, compassion, selflessness, and integrity in human interaction.

The quality of short short stories varies greatly. In selecting the twenty stories to include in this textbook we have tried to avoid excessively sentimental or moralistic examples, and to include works that have some humor or literary interest. We hope that reading them will offer insightful glimpses into life in contemporary China, glimpses not only of the frustrations, hurts, and absurdities that people encounter daily, but also into the moral and ethical concerns of the writers.

Suggestions for Use

This book is intended for use as a supplementary reader at about the third-year level of Chinese language study. The stories included here may be used as points of departure for conversation practice or composition, and questions are provided for each text to stimulate discussion; but our main intent is to provide short, interesting, authentic texts for reading practice.

One characteristic of most fiction is that even short texts typically employ a wide-ranging vocabulary, often using low-frequency words. Though great care was taken to select pieces with relatively simple style and vocabulary, most stories in this collection still contain a large number of words which might not be familiar to the average third-year student of Chinese. Therefore, ten to fifteen high-frequency items are selected from the vocabulary lists for each story, and marked with an asterisk. Students are encouraged to learn these items actively. For advanced students, teachers will probably want to select an alternate list for memorization.

Believing that a reading knowledge of both traditional and simplified characters is essential for contemporary Chinese, we present the full text of each story in both forms. We strongly encourage every student to read each selection several times, first in the style of character with which he or she is most familiar, and then in the other form.

We hope that these stories bring the readers pleasure and a deeper understanding of contemporary Chinese society, as well as an increased ability to read authentic literary texts.

Jeannette L. Faurot
Austin, Texas

畫 (A Picture)
曹 強

我偷偷地給父親畫了一張像，逼真得很。正在得意，忽聽背后有斥責聲。

"放肆，竟畫起我來了！"父親的眼睛大得嚇人，"快撕掉，不像話！"

"這，不是你呀，"我故作驚訝，"你哪有這么難看……"

"住口，我連自己都不認得嗎？"

"真的不是你，"乘父親不注意，我用鉛筆在畫上點了一下，"你看，他嘴角有顆黑痣。"

接着，我編造了一個有關"他"的笑話，惹得父親發笑。不過父親還是將信將疑，看看我，又看看畫。

"要懂禮貌，記住，不準畫我！"

"知道了，"我説，"除了你，誰都可以畫。"

選自《微型小説選》第5卷
1985年江蘇人民出版社出版

For Discussion

1. 父親爲甚麼生氣？
2. 兒子編了甚麼謊話？

3. 父親爲甚麽不許兒子畫他？
4. 你覺得父親真的那麼容易騙嗎？

画(A Picture)
曹 强

　　我偷偷地给父亲画了一张像，逼真得很。正在得意，忽听背后有斥责声。

　　"放肆，竟画起我来了！"父亲的眼睛大得吓人，"快撕掉，不像话！"

　　"这，不是你呀，"我故作惊讶，"你哪有这么难看……"

　　"住口，我连自己都不认得吗？"

　　"真的不是你，"乘父亲不注意，我用铅笔在画上点了一下，"你看，他嘴角有颗黑痣。"

　　接着，我编造了一个有关"他"的笑话，惹得父亲发笑。不过父亲还是将信将疑，看看我，又看看画。

　　"要懂礼貌，记住，不准画我！"

　　"知道了，"我说，"除了你，谁都可以画。"

选自《微型小说选》第5卷
1985年江苏人民出版社出版

For Discussion

1. 父亲为什么生气？
2. 儿子编了什么谎话？
3. 父亲为什么不许儿子画他？
4. 你觉得父亲真的那么容易骗吗？

Notes

曹强	**Cáo Qiáng**	(name of the author)
* 偷偷地	**tōutōude**	stealthily
像	**xiàng**	resemblance, portrait
逼真	**bīzhēn**	true to life
* 得意	**déyì**	self-satisfied
斥責（斥责）	**chìzé**	reprimand, reprove
放肆	**fàngsì**	behave in a disrespectful way
* 竟	**jìng**	after all, go so far as to
嚇人（吓人）	**xiàrén**	frighten a person
撕掉	**sīdiào**	tear up
* 不像話（不像话）	**búxiànghuà**	outrageous
故	**gù**	deliberately
驚訝（惊讶）	**jīngyà**	astonished
住口	**zhùkǒu**	shut the mouth, be quiet
* 乘	**chéng**	take advantage [of the fact that . . .]
點（点）	**diǎn**	make a dot

嘴角	**zuǐjiǎo** corner of the mouth
顆（颗）	**kē** measure word for small round things
痣	**zhì** mole, birthmark
* 接着	**jiēzhe** then
* 编造（编造）	**biānzào** fabricate, invent
* 有關（有关）	**yǒuguān** concerning
惹得	**rěde** stir up, cause, provoke
將信將疑（将信将疑）	**jiāngxìn jiāngyí** half believing, half doubting
* 禮貌（礼貌）	**lǐmào** good manners
* 不準（不准）	**bùzhǔn** not permitted

雄辯症 (Argumentitis)

王　蒙

　　一位醫生向我介紹，他們在門診中接觸了一位雄辯症病人。醫生說："請坐。"

　　病人說："爲甚麼要坐呢？難道你要剝奪我的不坐權嗎？"

　　醫生無可奈何，倒了一杯水，說："請喝水吧。"

　　病人說："這樣談問題是片面的，因而是荒謬的，並不是所有的水都能喝。例如你如果在水裏攪上氰化鉀，就絕對不能喝。"

　　醫生說："我這裏並沒有放毒藥嘛。你放心！"

　　病人說："誰說你放了毒藥了呢？難道我誣告你放了毒藥？難道檢查院起訴書上說你放了毒藥？我沒說你放毒藥，而你說我說你放了毒藥，你這纔是放了比毒藥還毒藥的毒藥！"

　　醫生毫無辦法，便嘆了口氣，換一個話題說："今天天氣不錯。"

　　病人說："純粹胡說八道！"你這裏天氣不錯，並不等於全世界在今天都是好天氣。例如北極，今天天氣就很壞，刮着大風，漫漫長夜，冰山正在撞擊……

　　醫生忍不住反駁說："我們這裏並不是北極

嘛。"

病人説："但你不應該否認北極的存在。你否認北極的存在，就是歪曲事實真相，就是別有用心。"

醫生説："你走吧。"

病人説："你無權命令我走。這是醫院，不是公安機關，你不可能逮捕我，你不可能槍斃我。"

……經過多方調查，才知道病人當年參加過梁效的寫作班子，估計可能是一種後遺症。

選自《小説界》1982年第2期

For Discussion

1. 病人真的認爲醫生給他的水果裏有毒嗎？
2. 病人是否在生醫生的氣？爲什么？
3. 你覺得爲甚麼醫生要請這位病人走？
4. 在病人的眼裏，醫院同公安機關有甚麼不同？
5. 你覺得醫生有可能不同這位病人爭論嗎？
6. 你覺得病人希望醫生同他講甚麼？
7. 你是否在生活中遇見過一個類似這位病人的人？
8. 你覺得有甚麼辦法治這種病？

雄辩症 (Argumentitis)

王 蒙

一位医生向我介绍，他们在门诊中接触了一位雄辩症病人。医生说："请坐。"

病人说："为什么要坐呢？难道你要剥夺我的不坐权吗？"

医生无可奈何，倒了一杯水，说："请喝水吧。"

病人说："这样谈问题是片面的，因而是荒谬的，并不是所有的水都能喝。例如你如果在水里搀上氰化钾，就绝对不能喝。"

医生说："我这里并没有放毒药嘛。你放心！"

病人说："谁说你放了毒药了呢？难道我诬告你放了毒药？难道检查院起诉书上说你放了毒药？我没说你放毒药，而你说我说你放了毒药，你这才是放了比毒药还毒药的毒药！"

医生毫无办法，便叹了口气，换一个话题："今天天气不错。"

病人说："纯粹胡说八道！"你这里天气不错，并不等於全世界在今天都是好天气。例如北极，今天天气就很坏，刮着大风，漫漫长夜，冰山正在撞击……

医生忍不住反驳说："我们这里并不是北极嘛。"

病人说："但你不应该否认北极的存在。你否认北极的存在，就是歪曲事实真相，就是别有用心。"

医生说："你走吧。"

病人说："你无权命令我走。这是医院，不是公安机关，你不可能逮捕我，你不可能枪毙我。"

……经过多方调查，才知道病人当年参加过梁效的写作班子，估计可能是一种后遗症。

选自《小说界》1982年第2期

For Discussion

1. 病人真的认为医生给他的水果里有毒吗？
2. 病人是否在生医生的气？为什么？
3. 你觉得为什么医生要请这位病人走？
4. 在病人的眼里，医院同公安机关有什么不同？
5. 你觉得医生有可能不同这位病人争论吗？
6. 你觉得病人希望医生同他讲什么？
7. 你是否在生活中遇见过一个类似这位病人的人？
8. 你觉得有什么办法治这种病？

Notes

雄辩（雄辩）　　**xióngbiàn**　powerful argument, eloquence

症	**zhèng**	disease
* 醫生（医生）	**yīsheng**	doctor, physician
向我介紹（向我介绍）	**xiàng wǒ jièshào**	
		introduced to me, told me about
門診（门诊）	**ménzhěn**	clinic
* 接觸（接触）	**jiēchù**	run into
* 難道（难道）	**nándào**	do you mean to say?
* 剝奪（剥夺）	**bōduó**	deprive, strip away
權（权）	**quán**	rights
* 無可奈何（无可奈何）	**wúkě nàihé**	nothing he
		could do
* 倒	**dào**	pour
片面	**piànmiàn**	one-sided
因而	**yīn'ér**	therefore
荒謬（荒谬）	**huāngmiù**	preposterous
攙上（搀上）	**chānshàng**	mix in
氰化	**qínghuà**	cyanide
鉀（钾）	**jiǎ**	potassium (**qínghuàjiǎ**
		potassium cyanide)
絕對（绝对）+neg.	**juéduì** + neg	definitely not
放	**fàng**	put in
* 放心	**fàngxīn**	don't worry
毒藥（毒药）	**dúyaò**	poison
嘛	**me**	final particle indicating
		obviousness
誣告（诬告）	**wūgaò**	falsely accuse
檢查院（检查院）	**jiǎncháyuàn**	procuratorate,

public prosecutor

起訴書（起诉书）**qǐsùshū** indictment

毫無（毫无）**háowú . . .** have no . . . at all

* 便 **biàn** then

* 嘆了口氣（叹了口气）**tànle kǒuqì** heaved a sigh

* 換 **huàn** change

話題（话题）**huàtí** topic of conversation

純粹（纯粹）**chúncùi** pure

胡説八道（胡说八道）**húshuōbādaò** nonsense

* 例如 **lìrú** for example

北極（北极）**bějí** North Pole

漫漫 **mànmàn** boundless

冰山 **bīngshān** iceberg

撞擊（撞击）**zhuàngjī** strike, smash against

反駁（反驳）**fǎnbó** refute

* 否認（否认）**fǒurèn** deny

* 存在 **cúnzài** existence

歪曲 **wāiqū** distort

真相 **zhēnxiàng** true nature, facts

別有用心 **bié yǒu yòngxīn** have ulterior motive

* 命令 **mìnglìng** order, command

公安機關（公安机关）**gōngān jīguān** police office

逮捕 **daìbǔ** arrest

槍斃（枪毙）**qiangbì** execute by shooting

梁效 **liáng Xiào** a composite penname for a group of about thirty writers who wrote party-line articles during the Cultural Revolution.

寫作班子（写作班子）**xiězuò bānzi** writers' group

估計（估计） **gūjì** estimate, reckon

後遺症（后遗症）**hòuyízhèng** resultant illness

不準倒垃圾 (No Rubbish Here)
王　蒙

　　A 地與 B 地開展衛生競賽，特別是在清掃垃圾方面，兩個地區的居民都花了很大力氣，查衛生那一天，兩地都是一塵不染，雙雙得了紅旗。

　　爲了鞏固衛生成績，A 地負責人－－簡稱 A 長，到處張貼佈告："此處嚴禁倒垃圾，違者重罰！"結果居民們端着垃圾桶繞地區三周而不可倒，便干脆亂潑亂倒，A 長到處捉人罰款，于是居民們改爲天黑以後偷着倒，深夜倒，黎明之前倒，結果是 A 長又累又氣，狼狽不堪，而 A 地遍地垃圾。

　　B 長祇在一處貼了一張招貼："此處可倒垃圾"，并且安排了集中清除這裏的垃圾的辦法，結果可以想象，除了那個指定的垃圾站外，哪兒也沒有垃圾。

選自《花城》1981年第1期

For Discussion

1. A 地的居民爲甚麼在夜裏倒垃圾？
2. 爲甚麼 A 長貼的佈告沒有人理？
3. B 長的佈告同 A 長的佈告有甚麼不一樣？
4. 你覺得在美國有沒有類似的故事？

不准倒垃圾 (No Rubbish Here)

王　蒙

　　A 地与 B 地开展卫生竞赛,特别是在清扫垃圾方面,两个地区的居民都花了很大力气,查卫生那一天,两地都是一尘不染,双双得了红旗。

　　为了巩固卫生成绩,A 地负责人－－简称 A 长,到处张贴布告:"此处严禁倒垃圾,违者重罚!"结果居民们端着垃圾桶绕地区三周而不可倒,便干脆乱泼乱倒,A 长到处捉人罚款,于是居民们改为天黑以后偷着倒,深夜倒,黎明之前倒,结果是 A 长又累又气,狼狈不堪,而 A 地遍地垃圾。

　　B 长衹在一处贴了一张招贴:"此处可倒垃圾",并且安排了集中清除这里的垃圾的办法,结果可以想象,除了那个指定的垃圾站外,哪儿也没有垃圾。

选自《花城》1981年第1期

For Discussion

1. A 地的居民为什么在夜里倒垃圾?
2. 为什么 A 长贴的布告没有人理?
3. B 长的布告同 A 长的布告有什么不一样?
4. 你觉得在美国有没有类似的故事?

Notes

* 不準（不准）　**bùzhǔn**　not allow(ed)

倒　**dào**　pour, dump

垃圾　**lājī**　garbage, trash

與（与）　**yǔ**　with, and

衛生（卫生）　**wèishēng**　sanitation

競賽（竞赛）　**jìngsài**　competition, contest

○ 清掃（清扫）　**qīngsǎo**　sweep clean

* 地區（地区）　**dìqū**　district

* 居民　**jūmín**　residents

花……力氣（花……力气）**hūa . . . lìqì**　expend energy

查　**chá**　inspect

一塵不染（一尘不染）**yìchénbùrǎn**　not tainted by a speck of dust

○ 雙雙（双双）　**shuāngshuāng**　both

○ 紅旗（红旗）　**hóngqí**　red flag (symbol of revolutionary achievement)

○ 鞏固（巩固）　**gǒnggù**　consolidate

* 成績（成绩）　**chéngjī**　achievement

* 負責人（负责人）　**fùzérén**　responsible person, person in charge

○ 簡稱（简称）　**jiǎnchēng**　abbreviated name

* 到處（到处）　**dàochù**　everywhere

○	張貼（张贴）	**zhāngtiē**	paste up
*	佈告（布告）	**bùgào**	announcement
○	嚴禁（严禁）	**yánjìn**	strictly prohibit
○	違者（违者）	**wéizhe**	violators
○	重罰（重罚）	**zhòngfá**	heavy fine
	端	**duān**	carry in two hands
	桶	**tǒng**	bucket, barrel
*	繞（绕）	**rào**	detour
	周	**zhōu**	times around
	乾脆（干脆）	**gāncùi**	simply
○	潑（泼）	**pō**	scatter
	捉人	**zhuōrén**	seize someone
	罰款（罚款）	**fákuǎn**	pay a fine
	偷着	**tōuzhe**	stealing, stealthily
○	黎明	**límíng**	dawn
	狼狽（狼狈）	**lángbèi**	in an awkward positition
	不堪	**bùkān**	unbearably
	狼狽不堪	**lángbèi bùkān**	in an extremely awkward position
	一處（一处）	**yíchù**	one place
○	招貼（招贴）	**zhāotiē**	poster
	此處（此处）	**cǐchù**	this place
	安排	**ānpái**	arrange
*	集中	**jízhōng**	collectively
○	清除	**qīngchú**	clean up, eliminate
*	指定	**zhǐdìng**	designated

請務必鼓掌 (Please Applaud)
王　蒙

　　E 地的群衆都很熱情，不論是看演出，聽報告，歡迎檢查團，聯歡，迎送外賓，都熱烈地鼓掌。後來調來一位科長，科長在每次活動前都召集大家訓話："一定要熱烈鼓掌！鼓掌的時候，決不允許中途停止！拍腫了手也要繼續拍！鼓掌不鼓掌是態度問題，立場問題……"每次活動結束，大家熱烈鼓掌之後，他總要上台號召大家"讓我們爲了ｘｘｘ再次鼓掌！""讓我們……再再次鼓掌！""……再再再次鼓掌……"

　　兩年之後我再到 E 地時，發現那裏的人對一切都冷冷淡淡，不論有甚麽喜事，誰也不鼓掌，有的已經忘記甚麽叫鼓掌和怎麽樣鼓掌了。

選自《花城》1981年第1期

For Discussion

1. 科長爲甚麽不允許大家在拍掌的時候中途停止？
2. 兩年以後發生了甚麽事情？
3. 你覺得爲甚麽科長向大家提出這么奇怪的要求？
4. 你覺得爲甚麽兩年以後在 E 地發生了這么大的變化？

请务必鼓掌 (Please Applaud)
王　蒙

　　E 地的群众都很热情，不论是看演出，听报告，欢迎检查团，联欢，迎送外宾，都热烈地鼓掌。后来调来一位科长，科长在每次活动前都召集大家训话："一定要热烈鼓掌！鼓掌的时候，决不允许中途停止！拍肿了手也要继续拍！鼓掌不鼓掌是态度问题，立场问题……"每次活动结束，大家热烈鼓掌之后，他总要上台号召大家"让我们为了 x x x 再次鼓掌！""让我们……再再次鼓掌！""……再再再次鼓掌……"

　　两年之后我再到 E 地时，发现那里的人对一切都冷冷淡淡，不论有什么喜事，谁也不鼓掌，有的已经忘记什么叫鼓掌和怎麼样鼓掌了。

选自《花城》1981年第1期

For Discussion

1. 科长为什么不允许大家在拍掌的时候中途停止？
2. 两年以后发生了什么事情？
3. 你觉得为什么科长向大家提出这么奇怪的要求？
4. 你觉得为什么两年以后在 E 地发生了这么大的变化？

Notes

務必（务必）	**wùbì**	must
鼓掌	**gǔzhǎng**	applaud
王蒙	**WángMěng**	(name)
* 群衆（群众）	**qúnzhòng**	masses
演出	**yǎnchū**	performance
檢查團（检查团）	**jiǎnchátuán**	inspection party
聯歡（联欢）	**liánhuān**	get together, celebration
迎送	**yíngsòng**	welcome and send off
* 外賓（外宾）	**wàibīn**	foreign guest
調（调）	**dìao**	transfer
科長（科长）	**kēzhǎng**	section chief
* 活動（活动）	**huódòng**	activity
召集	**zhàojí**	convene
訓話（训话）	**xùnhuà**	admonish, lecture
* 允許（允许）	**yǔnxǔ**	allow, permit
* 中途	**zhōngtú**	midway
* 停止	**tíngzhǐ**	stop
拍	**pāi**	slap, pat
腫（肿）	**zhǒng**	swollen
* 繼續（继续）	**jìxù**	continue
* 態度（态度）	**tàidu**	attitude
* 立場（立场）	**lìchǎng**	standpoint
* 結束（结束）	**jiéshù**	tie up, end

上台	**shàngtái**	ascend the stage
號召（号召）	**haòzhào**	appeal
冷冷淡淡	**lěnglěngdàndàn**	indifferent

媽媽(Mother)

周 彬

　　小道上，我和她，走得很慢，挨得很近。我看得出，路上的行人在羨慕地望着我，羨慕我這醜拉拉的憨後生交了個如此美麗的女朋友，不，快是妻子了。

　　"哎，去你家吧？"她投來含情地一瞥。

　　"啊？"

　　"讓你媽也過目呀！"

　　"……"

　　我心裏一陣慌亂，發怵，見了媽媽，會不會泡湯？媽媽，一個文盲，剃頭匠。記得讀小學時，每天放學回家，我總要去理髮店陪着媽媽。上學前，媽媽總是撫摸着我的頭叮囑："過馬路小心，在校聽老師話。"那時，我是那樣地聽媽媽的話，愛着我的媽媽。可自從認識了她，常把自己的媽媽與她的媽媽進行比較。媽媽說話高聲大氣，嘮嘮叨叨，職業又是那般低下。每次和她走上大街，總是繞開理髮店，生怕讓她知道我有一個剃頭匠的媽媽。可她不知怎的，好像故意和我過不去，總愛在我跟前誇她那鋼琴師的媽媽。她的媽媽穿着紅色翻毛領呢子大衣，別致的燙髮，黑瀑布似地披在肩上，她笑眯眯地讓我坐在沙發上，吃着五光十色的高級糖果，我像在童話世界中。她文雅和藹地向我問這問那，當問到我媽媽的工作時，我不知怎麼支吾過去的。

"你怎麼了？"她碰了我一下。

"我……"我說甚麼呢。

唉，隨它去，怕也不行。不過，但願媽媽不在家。可今天是星期天呀，對，也許買菜去了。

到家了，正巧媽媽不在家，我鬆了一口氣，也許今天可以蒙過去了。

"喂，這是你媽媽？"她站在後墻的相片框前，指着媽媽的照片。

"是的。"我不情願地回答。

"你有一個好媽媽呀！"

"好媽媽？"我一楞。

"她真好，我們那兒有兩位癱瘓的老人，她每月去為他們理一次髮，從不要報酬，也不嫌麻煩。我媽媽每次燙髮都去找她。記得小時候和媽媽去理髮店，我總是要她抱起我親一親，她就像我的媽媽。……"

我渾身發熱。

"呦，來客人了！"呵呵，媽媽回來了，穿着工作服 — 白大褂。

我還沒來得及和媽媽打招呼，她就深情地叫了一聲："媽媽！"

選自《微型小說選》第 5 卷
1985 年江蘇人民出版社出版

For Discussion

1. 故事中 "我" 的媽媽是甚麼職業？
2. "她" 媽媽是甚麼職業？
3. "她" 媽媽是甚麼樣的打扮？
4. "她" 怎麼會認識 "我" 的媽媽？
5. 你覺得這個小夥子是不是太自卑？
6. 從這個故事來看，中國人在選擇結婚對象時，是不是很重視家庭職業？
7. 你覺得一般的美國人對這些問題怎麼看？

妈妈(Mother)
周 彬

　　小道上，我和她，走得很慢，挨得很近。我看得出，路上的行人在羡慕地望着我，羡慕我这丑拉拉的憨後生交了个如此美丽的女朋友，不，快是妻子了。

　　"哎，去你家吧？" 她投来含情地一瞥。

　　"啊？"

　　"让你妈也过目呀！"

　　"……"

　　我心里一阵慌乱，发怵，见了妈妈，会不会泡汤？妈妈，一个文盲，剃头匠。记得读小学时，每天放学回家，我总要去理发店陪着妈妈。上学前，妈妈总是抚摸着我的头叮嘱："过马路小心，在校听老师话。"那时，我是那样地听妈妈的话，爱着我的妈妈。可自从认识了她，常把自己的妈妈与她的妈妈进行比较。妈妈说话高声大气，唠唠叨叨，职业又是那般低下。每次和她走上大街，总是绕开理发店，生怕让她知道我有一个剃头匠的妈妈。可她不知怎的，好像故意和我过不去，总爱在我跟前夸她那钢琴师的妈妈。她的妈妈穿着红色翻毛领呢子大衣，别致的烫发，黑瀑布似地披在肩上，她笑眯眯地让我坐在沙发上，吃着五光十色的高级糖果，我像在童话世界中。她文雅和蔼地向我问这问那，当问到我妈妈的工作时，我不知怎么支吾过去的。

"你怎么了？"她碰了我一下。

"我……"我说什么呢。

唉，随它去，怕也不行。不过，但愿妈妈不在家。可今天是星期天呀，对，也许买菜去了。

到家了，正巧妈妈不在家，我松了一口气，也许今天可以蒙过去了。

"喂，这是你妈妈？"她站在後墙的相片框前，指着妈妈的照片。

"是的。"我不情愿地回答。

"你有一个好妈妈呀！"

"好妈妈？"我一楞。

"她真好，我们那儿有两位瘫痪的老人，她每月去为他们理一次发，从不要报酬，也不嫌麻烦。我妈妈每次烫发都去找她。记得小时候和妈妈去理发店，我总是要她抱起我亲一亲，她就像我的妈妈。……"

我浑身发热。

"哟，来客人了！"呵呵，妈妈回来了，穿着工作服 — 白大褂。

我还没来得及和妈妈打招呼，她就深情地叫了一声："妈妈！"

选自《微型小说选》第 5 卷
1985 年江苏人民出版社出版

For Discussion

1. 故事中"我"的妈妈是什么职业？
2. "她"妈妈是什么职业？
3. "她"妈妈是什么样的打扮？
4. "她"怎么会认识"我"的妈妈？
5. 你觉得这个小伙子是不是太自卑？
6. 从这个故事来看，中国人在选择结婚对象时，是不是很重视家庭职业？
7. 你觉得一般的美国人对这些问题怎么看？

Notes

○ ✓ 周彬   **Zhōu Bín**   (name of the author)
○ ✓ 小道   **xiǎo dào**   little road, lane
○ 挨近   **āijìn**   draw close

✓	行人	**xíngrén**	pedestrian(s)
✓ *	羨慕	**xiànmù**	envy
	望	**wàng**	look at
o	醜拉拉（丑拉拉）	**chǒulālā**	very ugly
o	憨厚	**hānhou**	simple and honest
✓ ✓	憨厚生	**hānhòushēng**	"nerd," "square"
✓	交…朋友	**jiāo . . . péngyǒu**	make friends, be friends
✓ *	如此	**rúcǐ**	like this, so
✓	唉	**ai**	oh!
o	投…一瞥	**tóu . . . yìpiē**	cast a glance
o	含情	**hánqíng**	tender
	過目（过目）	**guòmù**	have a look at
	一陣（一阵）	**yízhèn**	a moment, a gust, a burst
	慌亂（慌乱）	**huāngluàn**	flustered
	發怵（发怵）	**fāchù**	be frightened
	泡湯（泡汤）	**paòtāng**	dilute, spoil
	文盲	**wénmáng**	illiterate
o	剃頭（剃头）	**tìtóu**	shave the head, have a haircut
o	匠	**jiàng**	artisan
o	剃頭匠（剃头匠）	**tìtóujiàng**	barber
	理髮店（理发店）	**lǐfàdiàn**	haircutting shop, barber shop
*	陪	**péi**	accompany
	撫摸（抚摸）	**fǔmō**	stroke
	叮囑（叮嘱）	**dīngzhǔ**	urge, exhort

✓	馬路（马路）	**mǎlù**	road
✓	可	**kě**	= kěshì 可是
✓*	自從（自从）	**zìcóng**	ever since
✓*	進行（进行）	**jìnxíng**	carry out, put into effect
	進行比較（进行比较）	**jìnxíng bǐjiǎo**	make a comparison
	高聲大氣（高声大气）	**gāoshēng dàqì**	noisily
	嘮叨（唠叨）	**láodāo**	jabber, chatter
✓*	職業（职业）	**zhíyè**	profession, job
○	般	**bān**	kind, sort
✓*	那般	**nàbān**	that kind of, so
	低下	**dīxià**	low
○	繞開（绕开）	**ràokai**	avoid
	生怕	**shēngpà**	very frightened
✓*	故意	**gùyì**	deliberately
	和……過不去（和……过不去）	**hé ... guòbuqù**	be hard on (someone)
	誇（夸）	**kuā**	praise, brag
	鋼琴（钢琴）	**gāngqín**	piano
○	鋼琴師（钢琴师）	**gāngqínshī**	piano teacher
○	翻毛領（翻毛领）	**fānmáolǐng**	turndown fur collar
○	呢子	**nízi**	woolen cloth
○	別致	**biézhì**	unique, stylish
○	燙髮（烫发）	**tàngfà**	permed hair
○	瀑布	**pùbù**	waterfall
○	披	**pī**	drape over

	肩	**jiān** shoulders
	笑眯眯	**xiàomīmī** smiling
	沙發（沙发）	**shāfā** sofa
	五光十色	**wǔguāng shísè** shining and multicolored
	高極（高极）	**gāojí** high quality
	糖果	**tángguǒ** candies
	童話（童话）	**tónghuà** children's story, fairy tale
*	文雅	**wényǎ** sophisticated
	和藹（和蔼）	**héǎi** kindly
	支吾	**zhīwu** say something irrelevant, hem and haw
*	碰	**pèng** bump against, nudge
✓	哎	**āi** hey! oh!
	隨它去	**súi tā qù** go along with it
	但願	**dànyuàn** just hope
	正巧	**zhèng qiǎo** as luck would have it
✓	鬆（松）	**sōng** relax
	鬆……口氣（松……口气）	**sōng yìkǒu qì** breathe a sigh of relief
	蒙	**méng** cover, deceive
✓	喂	**wèi** hey!
	框	**kuàng** frame
✓*	指	**zhǐ** point
	情願	**qíngyuàn** rather, willing
	愣	**lèng** stupefied, blank
	癱瘓（瘫痪）	**tānhuàn** paralyzed

	從不（从不）	**cóngbù**	never
✓ *	嫌	**xián**	worry about, be annoyed by
✓ *	麻煩（麻烦）	**máfan**	trouble
✓	抱	**bào**	hold in one's arms, embrace
✓	親一親（亲一亲）	**qīn yi qīn**	kiss
◯	渾身（浑身）	**húnshēn**	whole body, from head to toe
◯	呵呵	**hēhē**	(sound of laughter)
◯	大褂	**dàguà**	smock
*	打招呼	**dǎ zhāohu**	greet
	深情地	**shēnqíngde**	with deep feeling, affectionately
	打扮	**dǎbàn**	dress up
	自卑	**zìbēi**	feel inferior
✓	選擇（选择）	**xuǎnzé**	select, choose

目光(Gaze)

李 祖 臣

失戀了，她從没感到這樣凄楚和憂傷，幾乎失去生存的信心。

孤獨地走在街上，她感覺不到夏風的温柔和鮮花的艷麗。

對面走來一位英俊的小夥兒，明亮的眼睛直直望着她。望得那麽專注，痴情。使得她内心更加紛亂。

忽聽"咚"一聲，她嚇一跳。回頭看，小夥兒的頭竟撞在電桿上。

她微微一笑。

晚上，她安詳地睡着了。

選自《精短小説報》 1988 年第 8 期

For Discussion

1. 爲甚麽小伙子的頭撞在電桿上？
2. 爲甚麽那天晚上，這個姑娘安詳地睡着了？
3. 假如那個小伙子長得不英俊，姑娘還會失眠嗎？

目光 (Gaze)

李 祖 臣

失恋了，她从没感到这样凄楚和忧伤，几乎失去生存的信心。

孤独地走在街上，她感觉不到夏风的温柔和鲜花的艳丽。

对面走来一位英俊的小伙儿，明亮的眼睛直直望着她。望得那麼专注，痴情。使得她内心更加纷乱。

忽听"咚"一声，她吓一跳。回头看，小伙儿的头竟撞在电杆上。

她微微一笑。

晚上，她安详地睡着了。

选自《精短小说报》 1988 年第 8 期

For Discussion

1. 为什么小伙子的头撞在电杆上？
2. 为什么那天晚上，这个姑娘安详地睡着了？
3. 假如那个小伙子长得不英俊，姑娘还会失眠吗？

Notes

○ 目光　　　　　　　mùguāng　　gaze

○	李祖臣	**Lǐ Zǔchén**	(name of the author)
	失戀（失恋）	**shīliàn**	disappointed in love
*	從沒（从没）	**cóngméi**	had never before
✓ *	感到	**gǎndào**	feel, felt
○	凄楚	**qīchǔ**	sad, miserable
	憂傷（忧伤）	**yōushāng**	distressed, sorrowful
*	幾乎（几乎）	**jīhū**	almost
	生存	**shēngcún**	existence, survival
	孤獨地（孤独地）	**gūdúde**	lonely, alone
*	溫柔	**wēnróu**	warm and soft
	鮮花	**xiānhuā**	fresh flowers
◎	艷麗（艳丽）	**yànlì**	gorgeous beauty
*	英俊	**yīngjùn**	handsome
	小夥兒（小伙儿）	**xiǎohuǒr**	young fellow, guy
*	明亮	**míngliàng**	bright, shining
✓ *	眼睛	**yǎnjīng**	eyes
✓ *	直直	**zhízhí**	straight, directly
✓ *	望	**wàng**	look toward, look at
◔	專注（专注）	**zhuānzhù**	concentrate on, be absorbed in
○	痴情	**chīqíng**	infatuated
	紛亂（纷乱）	**fēnluàn**	disorderly, chaotic
*	忽	**hū**	suddenly
◑	咚	**dōng**	sound of bumping into something
	嚇一跳（吓一跳）	**xiàyítiào**	give a start

	竟	**jìng**	unexpectedly
	撞	**zhuàng**	bump into
O	電桿（电杆）	**diàngān**	utility pole, telephone pole
O	微微	**wēiwēi**	slightly
O	安祥地	**ānxiángde**	peacefully, serenely
O	失眠	**shīmián**	loose sleep, insomnia

桿

撞到

安祥地

安祥地 安祥地

失眠

時差　刻

"書法家" (Calligrapher)

司玉笙

書法比賽會上，人們圍住前來觀看的高局長，請他留字。

"寫甚麼呢？" 高局長笑咪咪地提起筆，歪着頭問。

"寫甚麼都行，寫局長最得心應手的好字吧。"

"那我就獻醜了。" 高局長沉吟片刻，輕抖手腕落下筆去。立刻，兩個勁秀的大字從筆端跳到宣紙上："同意"。

人群裏發出嘖嘖的驚嘆聲。有人大聲嚷道："請再寫幾個！"

高局長循聲望去，面露難色地說：

"不寫了吧 — 能寫好的就數這兩個字……"

選自《南苑》1983年第3期

For Discussion

1. 你覺得高局長總是一個笑咪咪的人嗎？
2. 高局長爲甚麼不能寫好別的字？
3. 爲甚麼 "同意" 二字，高局長寫得特別漂亮？

"书法家" (Calligrapher)

司 玉 笙

书法比赛会上，人们围住前来观看的高局长，请他留字。

"写什麽呢？"高局长笑咪咪地提起笔，歪着头问。

"写什么都行，写局长最得心应手的好字吧。"

"那我就献丑了。"高局长沉吟片刻，轻抖手腕落下笔去。立刻，两个劲秀的大字从笔端跳到宣纸上："同意"。

人群里发出啧啧的惊叹声。有人大声嚷道："请再写几个！"

高局长循声望去，面露难色地说：

"不写了吧 — 能写好的就数这两个字……"

选自《南苑》1983年第3期

For Discussion

1. 你觉得高局长总是一个笑咪咪的人吗？
2. 高局长为什么不能写好别的字？
3. 为什么"同意"二字，高局长写得特别漂亮？

Notes

○	司玉笙	**Sī Yùshēng**	(name of the author)
*	書法（书法）	**shūfǎ**	calligraphy
*	比賽會（比赛会）	**bǐsàihùi**	competition
✓ *	圍住（围住）	**wéizhù**	surround
✓	高	**Gāo**	(surname)
*	局長（局长）	**júzhǎng**	bureau chief
○ *	留字	**liúzì**	leave some characters, write some calligraphy
	笑咪咪地	**xiàomīmīde**	smilingly
	歪頭（歪头）	**wāitóu**	tilt the head, cock the head to one side
○	獻醜（献丑）	**xiànchǒu**	make a fool of myself; lit., "offer the ugly," a polite phrase used to deprecate one's own performance
○	沉吟	**chényín**	mutter to oneself
○ *	片刻	**piànkè**	a short time, a moment
○	輕抖（轻抖）	**qīngdǒu**	lightly shake
	手腕	**shǒuwàn**	wrist
○	落下	**luòxià**	lower
✓ *	立刻	**lìkè**	immediately
○	勁秀（劲秀）	**jìngxiù**	powerful and elegant
○	筆端（笔端）	**bǐduān**	tip of the pen
○	宣紙（宣纸）	**xuānzhǐ**	paper from Xuancheng, high quality paper for calligraphy
✓ *	同意	**tóngyì**	agree

*	人群	**rénqún**	crowd of people
○	嘖嘖（啧啧）	**zézé**	sound of clicking the tongue in admiration
○	驚嘆（惊叹）	**jīngtàn**	sigh in astonishment, exclaim
○	嚷道	**rǎngdào**	shout, call out
○	循聲望去（循声望去）	**xúnshēng wàngqù**	look over in the direction of the sound
	面露難色（面露难色）	**miànlù nánsè**	with an embarrassed expression the face
✓	不……了	**bù . . . le**	not do . . . any more
✓ *	數（数）	**shǔ**	number, limited to

天氣預報愛好者
(A Weather Forecast Enthusiast)

靳 鳳 羽

　　我爸爸是個不苟言笑的嚴肅老頭，別看就我一個女兒，他可從沒對我説過一句疼愛的話。我對他也是冷冷的。

　　我考上昆明一所學校要走了。媽媽輕輕啜泣着，爸爸却説："哭甚麼？咱丫頭有福氣。那地方是全國有名的寶地，四季如春，咱一輩子還到不了那寶貝地方呢！"我心裏真不高興，到校好多天也没給家裏寫信。寫第一封信的稱呼也祇有媽媽，看他氣不氣。

　　春節放假了，我回家，發現爸爸的脾氣越來越怪了。明明另一個頻道有電視劇他不讓看，偏得從頭到尾把中央臺的天氣預報看完纔讓人換頻道，媽媽她們都不敢干涉他。我偏不信，氣呼呼地説："人老了就是毛病多，這有甚麼好看的？真是！"媽媽悄悄拉了我一把，爸爸没言語，默默地換了頻道。

　　我跟着媽媽到了另一間屋裏，媽媽對我説："自從你走了以後，你爸就養成了這個習慣，每天都得收看昆明的天氣預報，你剛纔的話傷了他的心了。"我吃驚得説不出話來。

選自《青年作家》1987年10月號

For Discussion

1. "爸爸" 爲甚麼一定要看天氣預報?
2. 女兒去昆明上學，爸爸真的很高興嗎?
3. 媽媽對爸爸，更多的是同情還是害怕?
4. 在日常生活中，你經常遇到象 "爸爸" 這樣的人嗎?
5. 你覺得，女兒怎麼樣才能跟爸爸相處得更好?

天气预报爱好者
(A Weather Forecast Enthusiast)
靳 凤 羽

我爸爸是个不苟言笑的严肃老头，别看就我一个女儿，他可从没对我说过一句疼爱的话。我对他也是冷冷的。

我考上昆明一所学校要走了。妈妈轻轻啜泣着，爸爸却说："哭什么？咱丫头有福气。那地方是全国有名的宝地，四季如春，咱一辈子还到不了那宝贝地方呢！"我心里真不高兴，到校好多天也没给家里写信。写第一封信的称呼也只有妈妈，看他气不气。

春节放假了，我回家，发现爸爸的脾气越来越怪了。明明另一个频道有电视剧他不让看，偏得从头到尾把中央台的天气预报看完才让人换频道，妈

脾氣（脾气）	**píqi** temperament
頻道（频道）	**píndào** (TV) channel
電視劇（电视剧）	**diànshìjù** TV drama
偏得	**piānděi** insist on, have to
從頭到尾（从头到尾）	**cóngtóu dàowěi** from head to tail, from start to end
中央台	**zhōngyāngtái** Central Broadcasting Station
換	**huàn** change
* 干涉	**gānshè** interfere
氣呼呼地（气呼呼地）	**qìhūhūde** angrily, huffily
* 毛病	**máobìng** problem, fault, quirk
悄悄	**qiāoqiāo** quietly, on the sly
默默地	**mòmòde** silently
* 養成（养成）	**yǎngchéng** foster, develop
* 習慣（习惯）	**xíguàn** habit
收看	**shōukàn** watch
傷心（伤心）	**shāngxīn** break one's heart
吃驚（吃惊）	**chījīng** surprised
遇到	**yùdào** encounter

河邊一雙鞋
(A Pair of Shoes by the River)

劉 建 華

　　我常常喜歡下河捉魚摸蝦。

　　今天是星期天，我又來到這條河邊，脫下拖鞋下了河，享受着捉魚摸蝦的樂趣。

　　"運氣"還不錯，幾個小時後，我手裏提着一大串"戰利品"原路返回。哦？不知甚麼時候起，在我放拖鞋的河邊圍了一大群人。看樣子，八成是這裏出了甚麼事。好奇心促使我加快了腳步。

　　"唉，真可憐呀，三十好幾的人了，好不容易纔找上個對像，花去一千多元積蓄，却被女方家長把這對鴛鴦給打散了。這不，他跳河自殺了！"一個男中音的話傳入我的耳膜。

　　"不！跳河的是個女人。她被招了工的負心郎抛弃了，姑娘一時想不開，纔尋了短見。"另一個聲音反駁男中音。人們在悄聲議論着。

　　"你們知道嗎？昨天黄泥坑的一個老太婆突然失踪了。她那媳婦也太不像話，經常打駡老人，老人氣不過，昨晚就離家出走了。想不到勞累了大半輩子，這條河倒成了她的歸宿。"説話的是一位老者。有幾位大娘還撩起衣襟，擦拭着同情之淚。

　　我用力擠進人群中央。可是，除了圍觀的人們外，根本就没發現有死人，我感到莫名其妙。

肚子唱起了"空城計"，該回家吃午飯了。我在人群中穿起我那雙拖鞋，準備開路。

　　出乎我的意料之外，人群立即出現一陣騷動。在一片"噢，原來是這麼回事"的嚷嚷聲中，人們紛紛離開河邊，該趕路的全趕他的路了，該忙活的去忙他的活了。令人哭笑不得的是，有幾個人還用責備的眼光生氣地瞪了我一眼。

　　我恍然大悟：我不止穿走了那雙本來就屬我所有的拖鞋，還帶走了本來屬于他們茶前飯后捕風捉影的一個好"素材"。

選自《微型小説選》第5卷
1985年江蘇人民出版社出版

For Discussion

1. 甚麼叫作"找對像"？
2. "把一對鴛鴦給打散"是甚麼意思？
3. 爲甚麼有人認爲一個小夥子招了工以后，就要抛弃他的女朋友？
4. 爲甚麼人們覺得一個男人或女人失去對象以后，會"尋短見"？
5. 中文裏有一種説法，叫做"看熱鬧"，美國人有没有這個習慣？
6. 媳婦跟婆婆不和，這是中國人的問題還是全世界人的問題？
7. 假如一個政治或文化上的英雄對他的崇拜者們

説：我根本不是英雄，人們會不會生他的氣？

河边一双鞋
(A Pair of Shoes by the River)
刘 建 华

我常常喜欢下河捉鱼摸虾。

今天是星期天，我又来到这条河边，脱下拖鞋下了河，享受着捉鱼摸虾的乐趣。

"运气"还不错，几个小时后，我手里提着一大串"战利品"原路返回。哦？不知什么时候起，在我放拖鞋的河边围了一大群人。看样子，八成是这里出了什么事。好奇心促使我加快了脚步。

"唉，真可怜呀，三十好几的人了，好不容易才找上个对象，花去一千多元积蓄，却被女方家长把这对鸳鸯给打散了。这不，他跳河自杀了！"一个男中音的话传入我的耳膜。"不！跳河的是个女人。她被招了工的负心郎抛弃了，姑娘一时想不开，才寻了短见。"另一个声音反驳男中音。人们在悄声议论着。

"你们知道吗？昨天黄泥坑的一个老太婆突然失踪了。她那媳妇也太不像话，经常打骂老人，老人气不过，昨晚就离家出走了。想不到劳累了大半辈子，这条河倒成了她的归宿。"说话的是一位老者。有几位大娘还撩起衣襟，擦拭着同情之泪。

我用力挤进人群中央。可是，除了围观的人们外，根本就没发现有死人，我感到莫名其妙。

肚子唱起了"空城计"，该回家吃午饭了。我在人群中穿起我那双拖鞋，准备开路。

出乎我的意料之外，人群立即出现一阵骚动。在一片"噢，原来是这么回事"的嚷嚷声中，人们纷纷离开河边，该赶路的全赶他的路了，该忙活的去忙他的活了。令人哭笑不得的是，有几个人还用责备的眼光生气地瞪了我一眼。

我恍然大悟：我不止穿走了那双本来就属我所有的拖鞋，还带走了本来属于他们茶前饭后捕风捉影的一个好"素材"。

选自《微型小说选》第5卷
1985年江苏人民出版社出版

For Discussion

1. 什么叫作"找对象"？
2. "把一对鸳鸯给打散"是什么意思？
3. 为什么有人认为一个小伙子招了工以后，就要抛弃他的女朋友？
4. 为什么人们觉得一个男人或女人失去对象以后，会"寻短见"？
5. 中文里有一种说法，叫做"看热闹"，美国人有没有这个习惯？
6. 媳妇跟婆婆不和，这是中国人的问题还是全世界人的问题？

7. 假如一个政治或文化上的英雄对他的崇拜者们
说：我根本不是英雄，人们会不会生他的气？

Notes

	雙（双）	**shuāng** pair
*	鞋	**xié** shoes
O	劉建華（刘建华）	**Liú Jiànhuá** (name of the author)
	捉	**zhuō** grasp, catch
	摸	**mō** feel, grope for
	蝦（虾）	**xiā** shrimp
*	脫下	**tuōxià** take off
	拖鞋	**tuōxié** slippers, sandals
*	享受	**xiǎngshòu** enjoy
	樂趣（乐趣）	**lèqù** enjoyment, pleasure
√ *	運氣（运气）	**yùnqi** luck
	提	**tí** hold, suspend from the hand
O	串	**chuàn** a string, a cluster
O	戰利品（战利品）	**zhànlìpǐn** war trophies
O	返回	**fǎnhúi** return
O	哦	**ó** Oh? How could that be?
√	放	**fàng** put, place
√	圍（围）	**wéi** surround
	群	**qún** crowd
	八成	**bāchéng** 8 parts (out of 10)

complete, 80% chance

*	出事	**chūshì**	have an accident
	好奇	**haòqí**	inquisitive, curious
O	促使	**cùshǐ**	urge
O	脚步	**jiǎobù**	steps
	唉	**ài**	oh!
*	可憐（可怜）	**kělián**	pitiful

三十好幾（三十好几）**sānshí hǎojǐ**　well over thirty
(years old)

好不容易（好不容易）**hǎobùróngyi**　with great
difficulty

✓ *	對像（对象）	**duìxiàng**	potential marriage partner
✓ *	花	**huā**	spend
✓	積蓄（积蓄）	**jīxù**	savings
✓	却	**què**	but

女方家長（女方家长）**nǔfāng jiāzhǎng**　the head
of the woman's family

✓	對（对）	**duì**	pair
	鴛鴦（鸳鸯）	**yuānyang**	mandarin duck (symbolizing marital happiness)

這對鴛鴦（这对鸳鸯）**zhèduì yuānyang**　this pair
of lovebirds

	這不（这不）	**zhèbù**	Isn't this (proof)? See?
	自殺（自杀）	**zìshā**	commit suicide
	中音	**zhōngyīn**	alto
	傳入（传入）	**chuánrù**	pass into
	耳膜	**ěrmó**	eardrum

⓪	招工	**zhāogōng**	recruited to work (in this case, presumably at some distant location)
	負心郎（负心郎）	**fùxīnláng**	heartless fellow
✓	抛弃（抛弃）	**pāoqì**	toss away, abandon
✓ *	姑娘	**gūniang**	young woman
	想不開（想不开）	**xiǎngbukāi**	take something hard, can't get over it
	寻短見（寻短见）	**xún duǎnjiàn**	commit suicide
	反駁（反驳）	**fǎnbó**	refute
⓪	悄聲（悄声）	**qiǎoshēng**	quietly
	議論（议论）	**yìlùn**	discuss
⓪	黄泥坑	**huángníkēng**	yellow mudpuddle (apparently a humorous placename)
	老太婆	**lǎo taìpó**	old woman
	突然	**tūrán**	suddenly
	失踪	**shīzōng**	be missing, lose trace of
	媳婦（媳妇）	**xífù**	daughter-in-law
*	不像話（不像话）	**búxiànghuà**	outrageous
⓪	氣不過（气不过）	**qìbuguò**	can't contain the anger, very angry
⓪	劳累（劳累）	**laólèi**	tired, overworked
	大半輩子（大半辈子）	**dàbànbèizi**	more than half one's life
⓪	歸宿（归宿）	**guīsù**	resting place, home
⓪	老者	**laǒzhe**	old person
⓪	撩	**liáo**	raise
⓪	衣襟	**yījīn**	corner of flap of one's jacket

48 GLIMPSES OF CHINA

cā

擦拭　　　　　　　**cāshì**　wipe away

同情之淚（同情之泪）**tóngqíng zhi lèi**　tears of
sympathy

* 擠（挤）　　　　**jǐ**　squeeze

中央　　　　　　　**zhōngyāng**　center

莫名其妙　　　　　**mòmíngqímiào**　bewildering,
amazing (lit., "can't name its
wonder")

* 肚子　　　　　　　**dùzi**　stomach

空城計（空城计）**kōngchéngjì**　"Empty City
Strategem" (name of a Bejing Opera
about the Three Kingdoms hero
Zhuge Liang)

肚子唱起空城計（肚子唱起空城计）**dùzi
chàngqǐ kōngchéngjì**　stomach is
starting to growl

* 準備（准备）　　**zhǔnbèi**　prepare

開路（开路）　　**kāilù**　open a path, blaze a trail

出乎我的意料之外**chūhu wǒde yìliào zhīwài**
outside of my expectation

立即　　　　　　　**lìjí**　immediately

一陣（一阵）　　**yízhèn**　a gust, a spell

騷動（骚动）　　**sāodòng**　commotion

噢　　　　　　　　**ō**　oh!

* 嚷　　　　　　　　**rǎng**　shout

紛紛（纷纷）　　**fēnfēn**　one after another

趕路（赶路）　　**gǎnlù**　hurry on down the road

忙活　　　　　　　**mánghuó**　be busy with one's work

令人	**lìngrén** makes one
哭笑不得	**kūxiàobùdé** not know whether to laugh or cry
* 責備（责备）	**zébèi** blame, reprove
瞪	**dèng** stare
恍然大悟	**huǎngrán dàwù** suddenly understand
屬（属）	**shǔ** belong to
茶前飯后（茶前饭后）	**chāqián fànhòu** between dinner and tea, at leisure
捕風捉影（捕风捉影）	**bǔfēng zhuōyǐng** grab the wind and grasp at shadows, gossip, make groudless accusation
素材	**sùcái** source material
英雄	**yīngxióng** hero
崇拜者	**chóngbàizhě** worshipers

牢騷滿腹(A Man of Grievances)

王 蒙

　　我的摯友N君來了一封信，信上說：

　　親愛的W，我活不下去了！我不知道生活爲甚麼這樣折磨我！早晨我去買早點，却發現早點鋪裏根本沒有安裝籃球筐架。我去買一張報紙，却發現賣報的人不是雙眼皮。在汽車站我等汽車，等了兩個小時也沒有一輛我所希望的 1234567890 號巴士開來。進了辦公室以後，我大吃一驚，原來桌子上連一碗餛飩也沒擺着。我接到了一個電話，打電話的人竟然沒有得過奧林匹克跳高冠軍。我用玻璃杯給自己倒了一杯茶，忽然想起那個采茶的農婦說不定對丈夫不貞。

　　……結果，我沒吃早點，沒買報，沒坐汽車，沒進辦公室，沒接電話，沒喝茶……啥都不順心，我準備自殺了……

　　（注意，如果給你送信的郵遞員身高不够一米九，就把此信燒掉好了！）

選自《花城》1981 年第 1 期

For Discussion

1. N君爲甚麼這麼不快樂？

2. 你是不是遇見過喜歡發牢騷的人？
3. 你有没有遇見過象 N 君這樣愛發牢騷的人？

牢骚满腹(A Man of Grievances)
王　蒙

　　我的挚友N君来了一封信，信上说：

　　亲爱的W，我活不下去了！我不知道生活为什么这样折磨我！早晨我去买早点，却发现早点铺里根本没有安装篮球筐架。我去买一张报纸，却发现卖报的人不是双眼皮。在汽车站我等汽车，等了两个小时也没有一辆我所希望的 1234567890 号巴士开来。进了办公室以后，我大吃一惊，原来桌子上连一碗馄饨也没摆着。我接到了一个电话，打电话的人竟然没有得过奥林匹克跳高冠军。我用玻璃杯给自己倒了一杯茶，忽然想起那个采茶的农妇说不定对丈夫不贞。

　　……结果，我没吃早点，没买报，没坐汽车，没进办公室，没接电话，没喝茶……啥都不顺心，我准备自杀了……

　　（注意，如果给你送信的邮递员身高不够一米九，就把此信烧掉好了！）

选自《花城》1981 年第 1 期

For Discussion

1. N君为什么这么不快乐？
2. 你是不是遇见过喜欢发牢骚的人？
3. 你有没有遇见过象N君这样爱发牢骚的人？

Notes

牢骚（牢骚）	**láosāo**	complaint, grievance
满腹	**mǎnfù**	fill the belly, fill the mind
牢骚满腹（牢骚满腹）	**láosāo mǎnfù**	full of complaints
挚友（挚友）	**zhìyǒu**	true friend, close friend
君	**jūn**	gentleman
N君	**N jūn**	Mr. N
亲爱的（亲爱的）	**qīn'aìde**	Dear . . . (borrowing Western usage for salutation)
折磨	**zhémo**	torment
* 早點（早点）	**zǎodiǎn**	breakfast
* 铺（铺）	**pù**	shop, store
* 安裝（安装）	**ānzhuāng**	install
篮球（篮球）	**lánqiú**	basketball
筐架	**kuāngjia**	basket, hoop
雙眼皮（双眼皮）	**shuāngyǎnpí**	double-folded eyelids
巴士	**bāshì**	bus

辦公室（办公室）		bàngōngshì	office
*	吃驚（吃惊）	chījīng	surprised
	碗	wǎn	bowl
	餛飩（馄饨）	húntun	wonton, dumpling snack
	擺（摆）	bǎi	put out, arrange
*	竟然	jìngrán	unexpectedly
	奧林匹克	aòlínpǐkè	Olympic
	跳高	tiàogāo	highjump
	冠軍（冠军）	guànjūn	champion
	玻璃杯	bōlibēi	(drinking) glass
*	倒	dào	pour
	采	cǎi	pick, gather
	農婦（农妇）	nóngfù	farm woman
*	説不定（说不定）	shuōbudìng	can't say for sure, maybe
*	丈夫	zhàngfu	husband
	貞（贞）	zhēn	faithful, chaste
	啥	shà	what (= 甚麼)
	順心（顺心）	shùnxīn	satisfactory
	啥都不順心（啥都不顺心）			nothing is satisfactory
*	準備（准备）	zhǔnbèi	prepare
*	自殺（自杀）	zìshā	commit suicide
	郵遞員（邮递员）	yoúdìyuán	mailman
	米	mǐ	meter
	一米九	yìmǐjǐu	1.9 meters
	燒掉（烧掉）	shāodiào	burn up

小葉 (Xiaoye)

寇雲峰

在我們眼裏，刺繡姑娘小葉没有一點變化，還是瘦小的個子，少言寡語的秉性，好像一株安靜的小樹，你走過她的身邊，却不會意識到她的存在。

變化，在小葉的心裏，在心靈的窗户 — 眼睛裏。她的眼光含着柔和，含着向往；她心裏老是回憶那幾句簡單而又簡單的對話：

"你叫甚麽名字？"偶而，汪廠長在打掃衛生時這樣問她。

"趙小葉。"

"今年多大啦？"

"二十四。"

"不像不像，有對像嗎？"

小葉羞澀地摇摇頭。

"也該談一個了。"汪廠長關切地説，"我給你介紹一個吧，電工班小鄭，個頭不高，和你滿般配，年齡嘛，三十不會拐彎吧。怎么樣？"

小葉心裏顛顛的，衹是一下一下地掃着廠區大院子。

"這樣吧，下星期一你到我辦公室來，聽回音好了。"廠長真好。廠長走了。小葉有心事了……

星期一早上，小葉姑娘悄然站在廠長辦公室門口。

汪廠長一手拿着電話筒，一手翻着公文袋，百忙中還笑咪咪地問："有事嗎？"

小葉臉一紅，静默了一會兒，低着頭慢慢退出去了。

星期一多着呢，又一個星期一……廠長真忙，小葉歉意地站在門口，猶豫了一會兒。

"小葉，給你介紹個男朋友吧？"有位師傅説。小葉輕輕摇摇頭，謝絶了。

"小葉姐已經有了吧？"小姐妹們竊竊私語。于是，人們不再提她的事了。

月亮缺了又圓了；樹葉緑了又黄了。

偶而有一次，汪廠長來到刺繡小組，掏出一把糖，微笑着説："大家吃糖吧，電工班小鄭給辦公室送的喜糖，我是借花獻佛。"

女工們嘻笑着搶糖吃，衹有小葉不吃。汪廠長隨意又問了她的姓名年齡，親切地説："不小了，也該談一個了。這樣吧，我給你介紹一個對象，是……"

在我們的眼裏，小葉姑娘還是没有一點兒變化，她默默地坐在你的身邊，靈巧的雙手不停地刺繡着 ……"

只是廠長辦公室門口，再也不見了她小小的身影。

選自《百花園》1982年第10期

For Discussion

1. 在打掃衛生的時候，汪廠長問了小葉甚麼事情？
2. 後來，汪廠長答應了小葉甚麼事？
3. 廠長叫小葉甚麼時候到他辦公室去？
4. 小葉去廠長辦公室的時候，汪廠長説甚麼？
5. 有一天，汪廠長請大家吃糖，爲的是甚麼？
6. 後來，汪廠長又問小葉甚麼？
7. 你看，小葉姑娘是一個怎麼樣的人？
8. 汪廠長是一個不好的人嗎？

小叶 (Xiaoye)
寇 云 峰

　　在我们眼里，刺绣姑娘小叶没有一点变化，还是瘦小的个子，少言寡语的秉性，好像一株安静的小树，你走过她的身边，却不会意识到她的存在。

　　变化，在小叶的心里，在心灵的窗户 － 眼睛里。她的眼光含着柔和，含着向往；她心里老是回忆那几句简单而又简单的对话：

　　"你叫什么名字？"偶而，汪厂长在打扫卫生时这样问她。

　　"赵小叶。"

　　"今年多大啦？"

　　"二十四。"

　　"不像不像，有对象吗？"

小叶羞涩地摇摇头。

"也该谈一个了。"汪厂长关切地说，"我给你介绍一个吧，电工班小郑，个头不高，和你满般配，年龄嘛，三十不会拐弯吧。怎么样？"

小叶心里颤颤的，只是一下一下地扫着厂区大院子。

"这样吧，下星期一你到我办公室来，听回音好了。"厂长真好。厂长走了。小叶有心事了……

星期一早上，小叶姑娘悄然站在厂长办公室门口。

汪厂长一手拿着电话筒，一手翻着公文袋，百忙中还笑咪咪地问："有事吗？"

小叶脸一红，静默了一会儿，低着头慢慢退出去了。

星期一多着呢，又一个星期一……厂长真忙，小叶歉意地站在门口，犹豫了一会儿。

"小叶，给你介绍个男朋友吧？"有位师傅说。小叶轻轻摇摇头，谢绝了。

"小叶姐已经有了吧？"小姐妹们窃窃私语。于是，人们不再提她的事了。

月亮缺了又圆了；树叶绿了又黄了。

偶而有一次，汪厂长来到刺绣小组，掏出一把糖，微笑着说："大家吃糖吧，电工班小郑给办公室送的喜糖，我是借花献佛。"

女工们嘻笑着抢糖吃，只有小叶不吃。汪厂长随意又问了她的姓名年龄，亲切地说："不小了，

也该谈一个了。这样吧，我给你介绍一个对象，是
……"

在我们的眼里，小叶姑娘还是没有一点儿变
化，她默默地坐在你的身边，灵巧的双手不停地刺
绣着 ……"

只是厂长办公室门口，再也不见了她小小的身
影。

选自《百花园》1982年第10期

For Discussion

1. 在打扫卫生的时候，汪厂长问了小叶什么事情?
2. 后来，汪厂长答应了小叶什么事?
3. 厂长叫小叶什么时候到他办公室去?
4. 小叶去厂长办公室的时候，汪厂长说什么?
5. 有一天，汪厂长请大家吃糖，为的是什么?
6. 后来，汪厂长又问小叶什么?
7. 你看，小叶姑娘是一个怎么样的人?
8. 汪厂长是一个不好的人吗?

Notes

小叶（小叶）　　**Xiǎoyè**　(name)
寇雲峰（寇云峰）**Kòu Yúnfēng**　(name of the
　　　　　　　　　　　　　author)
刺繡（刺绣）　　**cìxiù**　embroider, embroidery

	瘦小	**shòuxiǎo**	thin and slight
	個子（个子）	**gèzi**	stature
	少言寡語（少言寡语）	**shǎoyán guǎyǔ**	"few words and sparse speech," taciturn
	秉性	**bǐngxìng**	natural disposition, temperament
	株	**zhū**	measure word for trees
	意識到（意识到）	**yìshídào**	become aware of
	心靈（心灵）	**xīnlíng**	soul, spirit
*	含	**hán**	hold, contain
*	柔和	**róuhé**	gentle, mild
	向往	**xiàngwǎng**	yearn for, long for
*	回憶（回忆）	**húiyì**	recall, remember
	偶然	**ǒurǎn**	occasional, chance
	汪廠長（汪厂长）	**Wāng chǎngzhǎng**	factory director Wang
*	打掃（打扫）	**dǎsǎo**	sweep
	衛生（卫生）	**wèishēng**	sanitation
	打掃衛生（打扫卫生）	**dǎsǎo wèishēng**	clean up
	趙（赵）	**Zhào**	(surname)
	對象（对象）	**duìxiàng**	boyfriend, fiancé
	羞澀（羞涩）	**xiūsè**	shy, embarrassed
	搖頭（摇头）	**yáotóu**	shake the head
*	關切地（关切地）	**guānqiède**	showing concern
	鄭（郑）	**Zhèng**	(surname)
	個頭（个头）	**gètóu**	size, height
	般配	**bānpèi**	match

* 年齡（年龄）	**niánlíng**	age
嘛	**ma**	particle before a pause
拐彎（拐弯）	**guǎiwān**	turn a corner
三十不會拐彎（三十不会拐弯）		can't be over thirty
顫顫地（颤颤地）	**chànchànde**	trembling, shivering
區（区）	**qū**	region, area
回音	**húiyīn**	reply, response
悄然	**qiǎorán**	quietly
電話筒（电话筒）	**diànhuàtǒng**	telephone receiver
翻着	**fānzhe**	turning, leafing through
公文袋	**gōngwéndài**	envelope for official documents
笑咪咪地	**xiàomīmīde**	smiling
* 有事嗎（有事吗）	**yǒu shì ma?**	Conventional phrase, approximately equivalent to "May I help you?"
静默	**jìngmò**	become or remain silent
退出去	**tùichūqù**	retreat, withdraw
歉意地	**qiànyìde**	apologetically
猶豫（犹豫）	**yóuyù**	hesitate
師傅（师傅）	**shīfu**	skilled worker
謝絕（谢绝）	**xièjúe**	politely decline
竊竊私語（窃窃私语）	**qièqiè sīyǔ**	secretly whisper
* 缺	**quē**	lack, wane (of the moon)
掏出	**tāochū**	pull out

一把	**yìbǎ**	a handful
糖	**táng**	sugar, candy
喜糖	**xǐtáng**	candy given out to celebrate one's marriage
借花獻佛（借花献佛）	**jièhuā xiànfó**	borrow flowers to present to Buddha, borrow something to give as a gift
嘻笑	**xīxiào**	giggle
搶（抢）	**qiǎng**	grab, snatch
* 親切地（亲切地）	**qīnqiède**	kindly, affectionately
默默地	**mòmòde**	silently
靈巧（灵巧）	**língqiǎo**	nimble, dexterous
身影	**shēnyǐng**	shadow (of a body)

街上 (In the Street)

劉 國 芳

有回兒子拉我上街去玩。

街蠻寬蠻長蠻整潔蠻好看。

于是蠻多的行人便滿臉愜意。

我們慢慢兒走着。

所有的人也這樣慢慢兒地走着。

忽地兒子鬆開扯着我的手往前跑起來。

於是有人喊起：“小朋友慢慢走，跑會打跌。”

兒子於是不跑。

還睜大眼看那說話的人。

隨後乖乖地牽上我的手。

於是我們又慢慢兒往前走。

不料這時却有個年歲很大塊頭也很大的人在街上拼命地跑起來。

這便惹許多許多眼睛睜大來看他，並議論。

“這人怎麼搞的？”

“怕是瘋子吧！”

這話說得我把眼睜大來看兒子。

心想兒子好在是個孩子。

兒子這時也睜大眼睛來看我。

“爸爸，那跑的人爲甚麼惹大家看他？”

“大概是大家都慢慢兒走他拼命地跑的緣故

吧！"

"那爲甚麽還有人説他瘋子呢？"

我答不出來。

那跑的人早没踪影了。

於是大家臉上仍泛着温和的微笑慢慢兒往前走。

不久又發現一個年歲不小的塊頭也不大的人在路邊呆呆地站着。

大家於是又睜大眼來看他，並議論。

"這人怎麽搞的？"

"怕是傻子吧？"

這話説得我又睜大了眼睛。

於是兒子也睜大了眼睛。

"爸爸，這站着的人爲甚麽惹大家看他？"

"大概是大家都慢慢兒走而他則站着不動的緣故吧！"

"那爲甚麽有人説他傻子呢？"

我還是答不出來。

在答不出來的時候我突然記起我還要做一件甚麽事。

做甚麽呢？

一時却想不起來。

於是想站下來定定地用心想一會兒。

但我不敢站下來。

我怕那些眼睛。

還怕人家説我傻子。

祇好慢慢兒走着慢慢兒想。

許久許久我終于想起來了。

原來是昨天答應了一個同事說今天頂他去上一個中班。

一想到這事我便急壞了。

因爲上中班的時間已經到了。

我慌慌地抱起兒子，想跑。但終究没敢跑起來。

仍怕那樣的眼睛。

還怕人家説我瘋子。

祇得牽着兒子慢慢兒走。

等我走到廠裏早遲到了。

選自《小説林》1988年第3期

For Discussion

1. 你能説出爲甚麼在街上大家都慢慢地走嗎？
2. 爲甚麼人們説拼命跑的人是瘋子？
3. 在答不出他兒子問題的時候，這位父親想起了甚麼？
4. 爲甚麼他在想的時候，還不敢站下來？
5. 假如在一個世界上，到處都像那條街上一樣，人活着是很輕鬆，還是很累？

街上 (In the Street)

刘 国 芳

有回儿子拉我上街去玩。

街蛮宽蛮长蛮整洁蛮好看。

于是蛮多的行人便满脸惬意。

我们慢慢儿走着。

所有的人也这样慢慢儿地走着。

忽地儿子松开扯着我的手往前跑起来。

于是有人喊起："小朋友慢慢走，跑会打跌。"

儿子于是不跑。

还睁大眼看那说话的人。

随後乖乖地牵上我的手。

于是我们又慢慢儿往前走。

不料这时却有个年岁很大块头也很大的人在街上拼命地跑起来。

这便惹许多许多眼睛睁大来看他，并议论。

"这人怎么搞的？"

"怕是疯子吧！"

这话说得我把眼睁大来看儿子。

心想儿子好在是个孩子。

儿子这时也睁大眼睛来看我。

"爸爸，那跑的人为什么惹大家看他？"

"大概是大家都慢慢儿走他拼命地跑的缘故吧！"

"那为什么还有人说他疯子呢？"

我答不出来。

那跑的人早没踪影了。

于是大家脸上仍泛着温和的微笑慢慢儿往前走。

不久又发现一个年岁不小的块头也不大的人在路边呆呆地站着。

大家于是又睁大眼来看他，並议论。

"这人怎么搞的？"

"怕是傻子吧？"

这话说得我又睁大了眼睛。

于是儿子也睁大了眼睛。

"爸爸，这站着的人为什么惹大家看他？"

"大概是大家都慢慢儿走而他则站着不动的缘故吧！"

"那为什么有人说他傻子呢？"

我还是答不出来。

在答不出来的时候我突然记起我还要做一件什么事。

做什么呢？

一时却想不起来。

于是想站下来定定地用心想一会儿。

但我不敢站下来。

我怕那些眼睛。

还怕人家说我傻子。

只好慢慢儿走着慢慢儿想。

许久许久我终于想起来了。

原来是昨天答应了一个同事说今天顶他去上一个中班。

一想到这事我便急坏了。

因为上中班的时间已经到了。

我慌慌地抱起儿子，想跑。但终究没敢跑起来。

仍怕那样的眼睛。

还怕人家说我疯子。

只得牵着儿子慢慢儿走。

等我走到厂里早迟到了。

选自《小说林》1988年第3期

For Discussion

1. 你能说出为什么在街上大家都慢慢地走吗？
2. 为什么人们说拼命跑的人是疯子？
3. 在答不出他儿子问题的时候，这位父亲想起了什么？
4. 为什么他在想的时候，还不敢站下来？
5. 假如在一个世界上，到处都像那条街上一样，人活着是很轻松，还是很累？

Notes

劉國芳（刘国芳）**Liú Guófāng**　(name of the author)

回　　　　　　　　**huí**　a time

有回　　　　　　**yǒuhuí**　once

拉　　　　　　　**lā**　pull

蠻（蛮）　　　　**mán**　very (dialect)

* 寬（宽）　　　　**kuān**　wide

整潔（整洁）　　**zhěngjié**　clean and neat

* 便　　　　　　　**biàn**　then (= 就)

* 臉（脸）　　　　**liǎn**　face

惬意　　　　　　**qièyì**　satisfied

忽地　　　　　　**hūdi**　suddenly

鬆開（松开）　　**sōngkai**　release

扯着　　　　　　**chězhe**　pulling

* 于是　　　　　　**yúshì**　then

喊　　　　　　　**hǎn**　shout, call

打跌　　　　　　**dǎdiē**　fall, stumble

* 睜大眼　　　　　**zhēngdà yǎn**　open eyes wide

隨後（随后）　　**súihòu**　then, afterwards

乖乖地　　　　　**guāiguāide**　well behaved

牽上（牵上）　　**qiānshang**　lead by the hand

* 不料　　　　　　**búliào**　unexpected

* 却　　　　　　　**què**　however

* 年歲（年岁）　　**niánsuì**　age

塊頭（块头）	**kuàitóu**	stature, build
拼命地	**pīnmìngde**	with all one's might, as hard as one can
惹	**rě**	incite, cause
並（并）	**bìng**	moreover
* 議論（议论）	**yìlùn**	discuss
* 怎麼搞的（怎么搞的）	**zěnme gǎode**	What's going on? What's the matter?
瘋子（疯子）	**fēngzi**	madman
好在	**hǎozài**	fortunately
* 緣故（缘故）	**yuángù**	reason, cause
答	**dá**	answer, respond
踪影	**zōngyǐng**	trace, sign
仍	**réng**	still, once again
泛着	**fànzhe**	floating, suffused with
温和	**wēnhé**	mild, gentle
* 微笑	**wēixiào**	smile
呆呆地	**dāidāide**	stiffly, woodenly, blankly
傻子	**shǎzi**	crazy person, fool
則（则）	**zé**	then, simply
* 突然	**tūrán**	suddenly
一時（一时）	**yìshí**	for the moment
站下來（站下来）	**zhànxialai**	stand still
定定地	**dìngdìngde**	calmly
敢	**gǎn**	dare
許久（许久）	**xǔjiǔ**	after a long time

*	終於（终于）	**zhōngyú**	finally
	答應（答应）	**dāying**	promise
	頂（顶）	**dǐng**	substitute
	中班	**zhōngbān**	middle shift, swing shift
	急壞（急坏）	**jíhuài**	extremely worried
	慌慌地	**huānghuāngde**	flustered
	抱起	**bàoqi**	pick up in one's arms
	等	**děng**	when, by the time
	廠（厂）	**chǎng**	factory
*	遲到（迟到）	**chídào**	arrive late
	早遲到（早迟到）	**zǎochídào**	already late
	輕鬆（轻松）	**qīngsōng**	relaxed

放寬政策 (Relax the Policy)

田 文 茂

　　新春伊始，小胡工工整整地在日記本上寫下一段話：

　　不把高等數學全部自修完，決不談女朋友。説到做到，不放空炮。

　　一年後，小胡纔自學了一道半題。剛好有熱心腸的人爲他牽綫搭橋。他祇好放寬政策，在日記上鄭重寫道：

　　女朋友談了，但自己得立個條約，不自修完課程，決不結婚。

　　又是一年後，自修課程仍無進展。小胡結婚了。新婚之夜他又在日記本上立下了旦旦誓言：

　　現在該認真學習了。咬着牙也要自修完課程，纔養孩子……。

　　已是第四個春天了。小胡一切依然如故。看見別人抱着孩子那親熱勁，甚是羨慕。晚上，他睡在妻子旁，説："我們也養個孩子吧？"

　　"你不是説，不學完課程不帶孩子嗎？"

　　"唉，你看別人帶着兒子多幸福呀！再説養了兒子，我更安心學習嘛。"

　　妻子的思想打通了。

　　小胡再一次放寬政策：

　　"請上帝原諒我未能按條約執行。如果帶了孩子，我一定要加倍努力學習，完成自己的宏偉計劃……"

兒子有了。小胡忙得不亦樂乎。有時剛拿起書本，眼皮早開始打架了，不過，他又記日記了：

唉，往者不可諫，來者猶可追。等孩子大了，再集中精力學習吧！

選自《南苑》1983年第5期

For Discussion

1. 假如没有人給小胡介紹女朋友，你覺得小胡能學完高等數學嗎？
2. 小胡的性格，是不是做一個好丈夫、好父親更合適？
3. 你覺得小胡是一個快樂的人嗎？
4. 假如小胡是一個快樂的人，是不是很不快樂的人，才能學完高等數學？
5. 假如小胡一生甚麼事情也做不成，他能怪他的妻子和兒子嗎？
6. 你覺得他會怪他的妻子和兒子嗎？

放寬政策 (Relax the Policy)
田　文　茂

新春伊始，小胡工工整整地在日記本上寫下一段話：

不把高等數學全部自修完，決不談女朋友。説到做到，不放空炮。

一年后，小胡才自學了一道半題。剛好有熱心腸的人爲他牽綫搭橋。他祇好放寬政策，在日記上鄭重寫道：

女朋友談了，但自己得立個條約，不自修完課程，決不結婚。

又是一年后，自修課程仍無進展。小胡結婚了。新婚之夜他又在日記本上立下了旦旦誓言：

現在該認真學習了。咬着牙也要自修完課程，才養孩子……。

已是第四個春天了。小胡一切依然如故。看見別人抱着孩子那親熱勁，甚是羡慕。晚上，他睡在妻子旁，説："我們也養個孩子吧？"

"你不是説，不學完課程不帶孩子嗎？"

"唉，你看別人帶着兒子多幸福呀！再説養了兒子，我更安心學習嘛。"

妻子的思想打通了。

小胡再一次放寬政策：

"請上帝原諒我未能按條約執行。如果帶了孩子，我一定要加倍努力學習，完成自己的宏偉計劃……"

兒子有了。小胡忙得不亦樂乎。有時剛拿起書本，眼皮早開始打架了，不過，他又記日記了：

唉，往者不可諫，來者猶可追。等孩子大了，再集中精力學習吧！

選自《南苑》1983年第5期

For Discussion

1. 假如没有人給小胡介紹女朋友，你覺得小胡能學完高等數學嗎？

2. 小胡的性格，是不是做一個好丈夫、好父親更合適？

3. 你覺得小胡是一個快樂的人嗎？

4. 假如小胡是一個快樂的人，是不是很不快樂的人，才能學完高等數學？

5. 假如小胡一生什么事情也做不成，他能怪他的妻子和兒子嗎？

6. 你覺得他會怪他的妻子和兒子嗎？

Notes

放寬（放宽）	**fàngkuān**	relax [requirements]
* 政策	**zhèngcè**	policy
田文茂	**Tián Wénmào**	(name of the author)
伊始	**yīshǐ**	at the beginning
胡	**Hú**	(surname)
工整	**gōngzhěng**	neatly, carefully
日記本（日记本）	**rìjìběn**	diary, journal

段	**duàn** paragraph, section
自修	**zìxiū** study on one's own
説到做到（说到做到）	**shuōdào zuòdào** do what one says
放空炮	**fàng kōngpào** set off an empty cannon, boast
道	**dào** measure word for problems
熱心腸（热心肠）	**rèxīncháng** warm-hearted
牽綫（牵线）	**qiānxiàn** pull strings, act as go-between
搭橋（搭桥）	**dāqiáo** build a bridge
* 鄭重（郑重）	**zhèngzhòng** earnest, serious
寫道（写道）	**xiědào** say in writing
立	**lì** set up, establish
* 條約（条约）	**tiáoyūe** treaty, pact
課程（课程）	**kèchéng** curriculum
仍無（仍无）	**réngwú** still not
進展（进展）	**jìnzhǎn** make progress
旦旦	**dàndàn** clearly, for all to see
誓言	**shìyán** pledge, take an oath
咬牙	**yǎoyá** grind the teeth, grit the teeth
養（养）	**yǎng** raise
* 一切	**yíqiè** everything
依然如故	**yīrán rúgù** still as it was before, unchanged
抱着	**bàozhe** carrying

* 親熱（亲热）	**qīnrè**	affectionate
勁（劲）	**jìn**	air, manner
甚	**shèn**	very
羨慕	**xiànmù**	envy, admire
帶（带）	**dài**	carry, take along, have
唉	**ài**	particle expressing regret, a sigh
* 幸福	**xìngfú**	happy
打通	**dǎtōng**	break through, see the light
上帝	**shàngdì**	God
* 原諒（原谅）	**yuánliàng**	forgive
按	**àn**	according to
* 執行（执行）	**zhíxíng**	carry out, implement
加倍	**jiābèi**	double
宏偉（宏伟）	**hóngwěi**	magnificent
不亦樂乎（不亦乐乎）	**búyìlèhū**	originally meant "Isn't it a pleasure?" (from the famous phrase in the Analects "有朋自遠方來，不亦樂乎（有朋自远方来，不亦乐乎）" "Isn't it a pleasure to have friends come from afar?" Here it is used as a complement to the verb "máng," and means something like "wonderfully," or "amazingly."
眼皮	**yǎnpí**	eyelids
打架	**dǎjià**	engage in a fight, come to blows

眼皮打架	**yǎnpí dǎjià**	become sleepy, doze
往者	**wǎngzhe**	what is past
諫（谏）	**jiàn**	admonish, advise against
* 猶（犹）	**yóu**	still
追	**zhūi**	pursue, run after, seek
* 集中	**jízhōng**	gather together, concentrate
精力	**jīnglì**	energy, effort
性格	**xìnggé**	personality, character
怪	**guài**	blame

廠徽 (The Badge)

李 海 正

"怎么回事？"廠長楚林下了車，向圍在廠門口的人問道。有人朝傳達室一呶嘴：門神又發威了唄。

老楚深知門衛張師傅的倔脾氣，可今天爲啥不讓這十來個人進廠呢？他剛要開口向老張搭話，猛然想起了昨天才向全廠傳達的《關于佩戴廠徽的通知》，上面明文規定："凡不戴廠徽者，一律不準進廠。"他捶了捶自己的頭，然後向大家嚴肅地說："大家按規定辦吧，戴了廠徽再進廠！"

老楚見大家走了，他這才向廠裏走去。他來到老張跟前，笑呵呵地拍了下他的肩膀說："老張呀，你可真象一尊門神呀。"

"是嗎？廠長同志。"老張呆板着臉，一伸手攔住了他說："可你的廠徽呢？"

楚林趕忙一摸胸前，糟糕，忘記戴了。他看了下表，用商求的口氣對老張說："瞧我這記性，真該罰我回家去拿，可我上班後還有個會，就這一回吧！"老張好象沒聽見似的，一轉身，"哐啷"一聲把大門關上了，接着丟過來一句話來："楚廠長，這會你就少開一次吧，整天開會，開會就訂制度，訂了又不執行，我看，還是來點真的吧！"

楚林站在鐵門前，臉上一陣火辣辣的。他望着緊閉的廠門，陷入了沉思。

選自《微型小説選》第五卷
1985年江蘇人民出版社出版

For Discussion

1. 張師傅爲甚麼不讓十來人進廠？
2. 張師傅的職責是甚麼？
3. 是誰規定每個人進廠都要戴廠徽？
4. 楚廠長爲甚麼没戴廠徽？
5. 楚廠長的臉爲甚麼變得火辣辣？
6. 楚廠長的會爲甚麼那麼多？
7. 你覺得老張師傅的行爲可信嗎？

厂徽 (The Badge)
李 海 正

　　"怎么回事？"厂长楚林下了车，向围在厂门口的人问道。有人朝传达室一努嘴：门神又发威了呗。

　　老楚深知门卫张师傅的倔脾气，可今天为啥不让这十来个人进厂呢？他刚要开口向老张搭话，猛然想起了昨天才向全厂传达的《关于佩戴厂徽的通知》，上面明文规定："凡不戴厂徽者，一律不准进厂。"他捶了捶自己的头，然后向大家严肃地说："大家按规定办吧，戴了厂徽再进厂！"

　　老楚见大家走了，他这才向厂里走去。他来到老张跟前，笑呵呵地拍了下他的肩膀说："老张呀，你可真象一尊门神呀。"

"是吗？厂长同志。"老张呆板着脸，一伸手拦住了他说："可你的厂徽呢？"

楚林赶忙一摸胸前，糟糕，忘记戴了。他看了下表，用商求的口气对老张说："瞧我这记性，真该罚我回家去拿，可我上班后还有个会，就这一回吧！"老张好象没听见似的，一转身，"哐啷"一声把大门关上了，接着丢过来一句话来："楚厂长，这会你就少开一次吧，整天开会，开会就订制度，订了又不执行，我看，还是来点真的吧！"

楚林站在铁门前，脸上一阵火辣辣的。他望着紧闭的厂门，陷入了沉思。

选自《微型小说选》第五卷
1985年江苏人民出版社出版

For Discussion

1. 张师傅为什么不让十来人进厂？
2. 张师傅的职责是什么？
3. 是谁规定每个人进厂都要戴厂徽？
4. 楚厂长为什么没戴厂徽？
5. 楚厂长的脸为什么变得火辣辣？
6. 楚厂长的会为什么那么多？
7. 你觉得老张师傅的行为可信吗？

Notes

徽　　　　　　　　　**huī**　badge, insignia

廠徽（厂徽）　　　**chǎnghuī**　factory badge, an identification badge to show one is a member of the particular factory

李海正　　　　　　**Lí Hǎizhèng**　(name of the author)

廠長（厂长）　　　**chǎngzhǎng**　factory head

楚林　　　　　　　**Chǔ Lín**　(Name)

問道　　　　　　　**wèndào**　ask

朝　　　　　　　　**cháo**　face toward

傳達室（传达室）**chuándáshì**　reception office

嗙嘴（努嘴）　　　**nǔzǔi**　purse one's lips (gesture sometimes used in China to point to someone or something)

門神（门神）　　　**ménshěn**　doorgod

發威（发威）　　　**fāwēi**　display one's power

唄（呗）　　　　　**bei**　final particle expressing "That's all it is"

門衛（门卫）　　　**ménwèi**　entrance guard

師傅（师傅）　　　**shīfù**　title used in the PRC to address or refer to skilled workers

倔　　　　　　　　**jùe**　stubborn

脾氣（脾气）　　　**píqì**　temper

爲啥（为啥）　　　**wèishà**　why? (sha 啥 is a dialect form of shenme 甚麼)

搭話（搭话）　　　**dāhùa**　speak to (someone)

猛然　　　　　　　**měngrán**　suddenly

下達（下达）	**xiàdá**	send down (an order or directive)
佩戴	**pèidài**	wear (a pin or badge)
通知	**tōngzhī**	notify
凡……者	**fán . . . zhě**	anyone who . . .
戴	**dài**	wear
一律	**yílǜ**	uniformly, without exception
捶	**chuí**	pound, hit with fist
嚴肅（严肃）	**yánsù**	solemn
笑呵呵	**xiàohēhē**	laughingly
拍	**pāi**	slap
肩膀	**jiānbǎng**	shoulder
尊	**zūn**	venerate; here a measure word for a deity
呆板	**dāibǎn**	stiff, rigid
攔住（拦住）	**lánzhù**	block
商求	**shāngqiú**	plead
罰（罚）	**fá**	penalize
哐啷	**kuānglāng**	(sound of clanging)
訂（订）	**dìng**	draw up (a plan, an agreement)
制度	**zhìdù**	regulations
執行（执行）	**zhíxíng**	carry out
火辣辣	**huǒlàlà**	scorching
陷入	**xiànrù**	fall into, immerse in

名字 (Name)

張 維

　　我有個老同學在A市任人事局長，我和這位同學大約十多年沒見面了，最近我正好出差來到A市，於是抽了個時間去看他。

　　老同學的家在三樓。我懷着激動的心情敲響了房門。

　　"誰呀？"隨着幼稚的童音，門裂了道口子，一個小男孩的腦袋探了出來。

　　"這是張局長的家嗎？"我笑吟吟地問道。

　　小男孩的那雙大眼睛在我身上繞了一圈。

　　"不知道！"話音未落，門"嘭"地一聲又關上了。

　　我呆住了，一時反應不過來，甚至忘記了合攏剛纔還在微笑的嘴巴。

　　"小家夥怎麼這麼冲頭冲腦的！"我暗暗地説道。

　　我又滿懷狐疑地敲開了對面的門。"請問，對面是張寶慶局長的家嗎？"

　　"没錯！"説着這扇門也重重地關上了。

　　我大惑不解：這棟樓的住户待人怎麼這樣冷淡？

　　於是我又重重地敲了幾下老同學的房門，并提高嗓門叫道：

"張寶慶在家嗎？"

房門終於大開了，站在門口的仍然是那個小男孩。

"叔叔，我爸爸不在家，你進來坐坐吧！"

小男孩臉上的敵意已經沒有了，這時也露出了一點笑容。小家夥八、九歲模樣，胖乎乎的，笑起來露出一對小虎牙，怪討人喜歡的。

我進了客廳，在沙發上坐了下來。

"我是你爸爸的老同學，在大學裏我們是好朋友，今天專門來看看他。"說着，我把小男孩拉到了身邊，從口袋裏摸出一支帶有電子表的圓珠筆塞到他手裏。

小家夥高興極了，一雙大眼睛閃閃發光。

"我爸爸一會兒就回來，叔叔您坐，我去給您拿烟。"

我一把拉住了他，故意逗他：

"嘿嘿，現在和叔叔親熱了，剛纔叔叔第一次敲門時，怎麼不讓叔叔進來呀？"

"誰叫你喊'局長'呢？"

"咦，你爸爸不是人事局長嗎？"我有些驚詫。

"是局長。不過他關照過我：叫局長的就不理睬，直接叫他名字的就開門。"

我不禁對老同學由衷地佩服：雖然當了官，却還保持着普通老百姓的本色。

"看來你爸爸不喜歡人家叫他局長？"

"就是嘛！他説叫他局長的肯定都是下面求他辦事的人，而叫他名字的就差不多是他的上級。"

我倒吸一口涼氣，良好的心境一下子全没有了。

小男孩接着又補了一句：

"不過我媽媽私下也告訴過我，只要來的人手裏拿着東西，不管怎麼稱呼都開門。"

選自《春風》1987年第12期

For Discussion

1. 作者跟他的老同學多久没有見面了？
2. 在老同學的門前，頭一次開門的是甚麼人？
3. 老同學的對門鄰居對作者是甚麼態度？
4. 小男孩爲甚麼在作者第一次敲門時對他態度不好？
5. 老同學爲甚麼不歡迎客人叫他局長？
6. 老同學的夫人對這個問題還有甚麼別的意見？
7. 如果一個美國人有事要辦，他會找到上級家裏去嗎？

名字 (Name)
张 维

我有个老同学在 A 市任人事局长，我和这位同学大约十多年没见面了，最近我正好出差来到 A 市，于是抽了个时间去看他。

老同学的家在三楼。我怀着激动的心情敲响了房门。

"谁呀？"随着幼稚的童音，门裂了道口子，一个小男孩的脑袋探了出来。

"这是张局长的家吗？"我笑吟吟地问道。

小男孩的那双大眼睛在我身上绕了一圈。

"不知道！"话音未落，门"嘭"地一声又关上了。

我呆住了，一时反应不过来，甚至忘记了合拢刚才还在微笑的嘴巴。

"小家伙怎么这么冲头冲脑的！"我暗暗地说道。

我又满怀狐疑地敲开了对面的门。"请问，对面是张宝庆局长的家吗？"

"没错！"说着这扇门也重重地关上了。

我大惑不解：这栋楼的住户待人怎麽这样冷淡？

于是我又重重地敲了几下老同学的房门，并提高嗓门叫道：

"张宝庆在家吗？"

房门终于大开了，站在门口的仍然是那个小男孩。

"叔叔，我爸爸不在家，你进来坐坐吧！"

小男孩脸上的敌意已经没有了，这时也露出了一点笑容。小家伙八、九岁模样，胖乎乎的，笑起来露出一对小虎牙，怪讨人喜欢的。

我进了客厅，在沙发上坐了下来。

"我是你爸爸的老同学，在大学里我们是好朋友，今天专门来看看他。"说着，我把小男孩拉到了身边，从口袋里摸出一支带有电子表的圆珠笔塞到他手里。

小家伙高兴极了，一双大眼睛闪闪发光。

"我爸爸一会儿就回来，叔叔您坐，我去给您拿烟。"

我一把拉住了他，故意逗他：

"嘿嘿，现在和叔叔亲热了，刚才叔叔第一次敲门时，怎么不让叔叔进来呀？"

"谁叫你喊'局长'呢？"

"咦，你爸爸不是人事局长吗？"我有些惊诧。

"是局长。不过他关照过我：叫局长的就不理睬，直接叫他名字的就开门。"

我不禁对老同学由衷地佩服：虽然当了官，却还保持着普通老百姓的本色。

"看来你爸爸不喜欢人家叫他局长？"

"就是嘛！他说叫他局长的肯定都是下面求他办事的人，而叫他名字的就差不多是他的上级。"

我倒吸一口凉气，良好的心境一下子全没有了。

小男孩接着又补了一句：

"不过我妈妈私下也告诉过我，只要来的人手里拿着东西，不管怎麽称呼都开门。"

选自《春风》1987年第12期

For Discussion

1. 作者跟他的老同学多久没有见面了？
2. 在老同学的门前，头一次开门的是什么人？
3. 老同学的对门邻居对作者是什么态度？
4. 小男孩为什么在作者第一次敲门时对他态度不好？
5. 老同学为什么不欢迎客人叫他局长？
6. 老同学的夫人对这个问题还有什么别的意见？
7. 如果一个美国人有事要办，他会找到上级家里去吗？

Notes

⊙ ✓ 張維（张维） **Zhāng Wéi** (name of the author)

⊙ * 任 **rèn** hold an office or post

⊙ 人事（人事） **rénshì** personnel

局長（局长） **júzhǎng** bureau head

大約（大约） **dàyuē** approximately

* 出差 **chūchāi** go on an official trip

抽時間（抽时间） **chōu shíjiān** find time

懷……心情（怀……心情）**huái . . . xīnqíng**
harbor a . . . state of mind

激動（激动）　　**jīdòng**　excited, agitated

敲響（敲响）　　**qiāoxiǎng**　knock loudly

幼稚　　　　　　**yòuzhì**　childish

童音　　　　　　**tóngyīn**　child's voice

裂　　　　　　　**liè**　split, crack

道　　　　　　　**dào**　measure word for cracks

口子　　　　　　**kǒuzi**　opening, hole

腦袋（脑袋）　　**nǎodai**　head

探出來　　　　　**tànchūlái**　stretch out, explore

笑吟吟　　　　　**xiàoyínyín**　laughing, smiling

繞一圈（绕一圈）**rào yīquān**　go round in a circle

話音未落（话音未落）**huàyīn wèiluò**　before he
had finished speaking

嘭　　　　　　　**pēng**　sound of door slamming

呆住　　　　　　**dāizhù**　stupefied, dumbfounded

反應（反应）　　**fǎnyìng**　react, respond

甚至　　　　　　**shènzhì**　even

合攏（合拢）　　**hélǒng**　close

微笑　　　　　　**wēixiào**　smile

嘴巴　　　　　　**zǔiba**　mouth

小家夥（小家伙）**xiǎo jiāhuo**　little fellow, kid

冲頭冲腦（冲头冲脑）**chòngtóu chòngnǎo**　addle-
brained

暗暗地　　　　　**ànànde**　secretly, to oneself

滿懷狐疑（满怀狐疑）**mǎnhuái húyí**　filled with

suspicion, full of doubt

張寶慶（张宝庆）	**Zhāng Bǎoqìng**	(name)
没錯（没错）	**méicuò**	that's right
扇	**shàn**	measure word for doors
重重地	**zhòngzhòngde**	heavily, loudly
大惑不解	**dàhuò bùjiě**	extremely puzzled
棟（栋）	**dòng**	measure word for buildings
住户	**zhùhù**	resident
* 待人	**dàirén**	treat people
冷淡	**lěngdàn**	cold, indifferent
提高	**tígāo**	raise
嗓門（嗓门）	**sǎngmén**	voice
終于（终于）	**zhōngyú**	finally
叔叔	**shūshu**	Uncle; polite way for children to address men of about their parents' age
敵意（敌意）	**díyì**	hostility, animosity
* 露出	**lùchū**	reveal
笑容	**xiàoróng**	smiling face
模樣（模样）	**móyàng**	appearance
胖乎乎的	**pànghūhude**	plump, chubby
虎牙	**hǔyá**	"tiger teeth," protruding canine teeth
怪	**guài**	quite a bit, really
討（讨）	**tǎo**	invite, incite
討人喜歡（讨人喜欢）	**tǎorén xǐhuān**	likable, cute
客廳（客厅）	**kètīng**	living room

blame

沙發（沙发）	**shāfā**	sofa
專門（专门）	**zhuānmén**	specially
拉	**lā**	pull
口袋	**kǒudài**	pocket
摸出	**mōchū**	grope for and pull out
帶有（带有）……	**dàiyǒu**	with . . . attached
電子表（电子表）	**diànzǐbiǎo**	electronic watch
圓珠筆（圆珠笔）	**yuánzhūbǐ**	ball-point pen
塞	**sāi**	insert, squeeze into
閃閃（闪闪）	**shǎnshǎn**	flash, glitter
烟（烟）	**yān**	cigarette
把	**bǎ**	grasp
故意	**gùyì**	deliberately
逗	**dòu**	tease, play with
嘿嘿	**hēihēi**	sound of laughing, often sarcastic
親熱（亲热）	**qīnrè**	affectionate
喊	**hǎn**	call out
咦	**yí**	exclamation of surprise
驚詫（惊诧）	**jīngchà**	surprised
關照（关照）	**guānzhào**	notify, instruct
理睬	**lǐcǎi**	pay attention to
* 直接	**zhíjiē**	directly
* 不禁	**bùjīn**	can't help (doing something)
由衷	**yóuzhōng**	sincerely
* 佩服	**pèifú**	respect, admire

	保持	**bǎochí** keep, preserve
*	普通	**pǔtōng** ordinary, common
*	老百姓	**lǎobǎixìng** common people
	本色	**běnsè** original nature, true qualities
	就是嘛（就是嘛）	**jiùshì ma** that's right
*	肯定	**kěndìng** definitely
	下面	**xiàmiàn** inferiors, subordinates
	求	**qíu** seek, request
	上级（上级）	**shàngjí** higher level, superior
	吸	**xī** inhale
	良好	**liánghǎo** good
	心境	**xīnjìng** state of mind
	一下子	**yíxiàzi** all at once
	捕 补	**bǔ** patch up, fill in
	捕了一句	**bǔle yíjù** added a sentence
	私下	**sīxià** privately
	不管	**bùguǎn** no matter
	稱呼（称呼）	**chēnghu** call, address
	鄰居（邻居）	**línjū** neighbors
	態度（态度）	**tàidù** attitude
	夫人	**fūren** wife

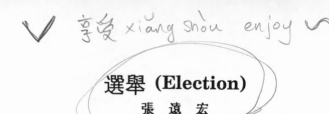

選舉 (Election)

張 遠 宏

　　"今天民主選舉車間的兩名工會委員，意義嘛，是十分重大的！"鄭主任晃着頭，似乎在欣賞自己講話的語調。

　　幾分鐘的寂靜後，老劉師傅怯生生地説："我想提雷志貴，他經常幫大夥做事。""我提傅京，他敢替我們説話。"小馬火爆爆地在後場嚷了一句。鄭主任開始一驚，繼而眼睛睜大了點，再繼而眼睛、鼻子和嘴巴的距離就縮短了一截。大家頓時恢復了寂靜。

　　鄭主任没事一般，慢慢地從褲袋裏掏出一張紙來："同志們，我們認爲以下兩位同志當工會委員嘛，是最合適不過的了。"鄭主任展開紙來，"他們是周紅衛、張軍。人還很年輕嘛，正好培養培養。大家不會有甚麽意見吧。"會場沉寂着……

　　幾天後，車間大門口就貼出了一張大紅喜報："經全車間職工民主選舉，周紅衛，張軍光榮當選爲工會委員。"

　　數月之後，車間又選本系統的標兵了，鄭主任在照例的"演説"之後又開始了照例的冷場。

　　"我説，"傅京忍不住，終于挺了挺腰："鄭主任，就選你褲袋裏那幾位吧。"

　　一陣笑浪猛然從人群中湧起。

　　　　　　　　　　選自《重慶工人報》1987 年

For Discussion

1. 爲甚麼鄭主任的鼻子和嘴巴縮短距離，大家就恢復了寂静？

2. 鄭主任提了兩個名字，這是向大家"提建議"，還是"下命令"？

3. 假如鄭主任只是"提建議"，爲甚麼大家選了他要的兩個人？

4. 你覺得如果工人們不選鄭主任提的兩個人，以後會發生甚麼事情？

5. 在第二次選舉時，工人們的笑聲，表示了甚麼樣的感情？

选举 (Election)
张 远 宏

　　"今天民主选举车间的两名工会委员，意义嘛，是十分重大的！"郑主任晃着头，似乎在欣赏自己讲话的语调。

　　几分钟的寂静后，老刘师傅怯生生地说："我想提雷志贵，他经常帮大伙做事。""我提傅京，他敢替我们说话。"小马火爆爆地在后场嚷了一句。郑主任开始一惊，继而眼睛睁大了点，再继而眼睛、鼻子和嘴巴的距离就缩短了一截。大家顿时恢复了寂静。

郑主任没事一般，慢慢地从裤袋里掏出一张纸来："同志们，我们认为以下两位同志当工会委员嘛，是最合适不过的了。"郑主任展开纸来，"他们是周红卫、张军。人还很年轻嘛，正好培养培养。大家不会有什么意见吧。"会场沉寂着……

几天后，车间大门口就贴出了一张大红喜报："经全车间职工民主选举，周红卫，张军光荣当选为工会委员。"

数月之后，车间又选本系统的标兵了，郑主任在照例的"演说"之后又开始了照例的冷场。

"我说，"傅京忍不住，终于挺了挺腰："郑主任，就选你裤袋里那几位吧。"

一阵笑浪猛然从人群中涌起。

选自《重庆工人报》1987年

For Discussion

1. 为什么郑主任的鼻子和嘴巴缩短距离，大家就恢复了寂静？
2. 郑主任提了两个名字，这是向大家"提建议"，还是"下命令"？
3. 假如郑主任只是"提建议"，为什么大家选了他要的两个人？

4. 你觉得如果工人们不选郑主任提的两个人，以後会发生什么事情？

5. 在第二次选举时，工人们的笑声，表示了什么样的感情？

Notes

* 選舉（选举）　**xuǎnjǔ**　elect, election
* 張遠宏（张远宏）**Zhāng Yuǎnhóng**　(name of the author)
* 車間（车间）　**chējiān**　workshop
* 工會（工会）　**gōnghuì**　trade union
* 委員（委员）　**wěiyuán**　committee member
* 意義（意义）　**yìyì**　significant, significance
* 嘛　**ma**　particle indicating a pause
* 十分　**shífēn**　ten parts (out of ten); completely, very
* 重大　**zhòngdà**　heavy, great
* 鄭（郑）　**Zhèng**　(surname)
* 主任　**zhǔrèn**　director
* 晃　**huàng**　shake, sway
* 似乎　**shìhu**　seem to be
* 欣賞（欣赏）　**xīnshǎng**　enjoy, appreciate
* 語調（语调）　**yǔdiào**　sound of the voice, intonation
* 寂静　**jìjìng**　quiet, silence
* 劉（刘）　**Liú**　(surname)

	怯生生地	**qièshēngshēngde** shyly, timidly
	提	**tí** raise, mention, nominate
	雷志貴（雷志贵）	**Léi Zhìguì** (name)
	大夥	**dàhuǒ** everyone
	傅京（傅京）	**Fù Jīng** (name)
*	替	**tì** for (someone's) benefit
	火爆爆地	**huǒbàobàode** heatedly, irritably
	后場（后场）	**hòuchǎng** back of the room
	嚷	**rǎng** shout
	驚（惊）	**jīng** startled, surprised
	繼而（继而）	**jì'ér** then, afterwards
	睜大	**zhēngdà** open wide
	鼻子	**bízi** nose
	嘴巴	**zuǐba** mouth
	距離（距离）	**jùlí** distance
	縮短（缩短）	**suōduǎn** shorten, shrink
	一截	**yìjié** a section, a bit
	頓時（顿时）	**dùnshí** immediately
	恢復（恢复）	**huīfú** resume, return to
	没事一般	**méishì yībān** as if nothing were the matter
	褲袋（裤袋）	**kùdài** pants pocket
	掏出	**tāochū** pull out
	當（当）	**dāng** serve as
	……不過（不过）	**búguò** can't be any more . . . ;
	最 и, 不過了	extremely . . .

*、合適（合适） **héshì** suitable

展開（展开） **zhǎnkāi** open up, spread out

周紅衛（周红卫）**Zhōu Hóngwèi** (name)

張軍（张军） **Zhāng Jūn** (name)

培養（培养） **péiyǎng** foster, train

*有意見（有意见）**yǒu yìjiàn** have opinions, have objections

會場（会场） **huìchǎng** meeting place

沉寂 **chénjì** quiet, still

貼（贴） **tiē** paste, glue

喜報（喜报） **xǐbào** congratulatory announcement

經（经） **jīng** pass through, undergo

經……選舉（经……选举）**jīng. . . xuǎnjǔ** having held an election

職工（职工） **zhígōng** staff members and workers

光榮（光荣） **guāngróng** honor, glory

數月（数月） **shùyuè** several months

本 **běn** this, our

系統（系统） **xìtǒng** system, organization

標兵（标兵） **biāobīng** model worker

照例 **zhàolì** as usual

冷場（冷场） **lěngchǎng** awkward silence

忍不住 **rěnbuzhù** not able to bear it

挺腰 **tǐngyāo** straighten the waist, stand up straight

✓ 一陣（一阵） **yízhèn** a gust, a spell

○ 笑浪 **xiàolàng** wave of laughter

○ 猛然 **měngrán** suddenly, abruptly

✓ 人群 **rénqún** crowd of people

○ 湧起（涌起） **yǒngqǐ** gush out, pour forth

建議（建议） **jiànyì** suggestion

✓ 命令（命令） **mìnglìng** order

失題 (A Mistake)

苗 青

　　吃罷晚飯，大隊磚窰廠的會計張識仁在堂屋裏破竹子。我問他做甚麼，他說公社李書記的老人死了，他要做一個花圈送去。他自己劃篾條，剪紙花，唏裏嘩啦地忙了半夜，終於弄成了一個花圈。他叫我幫他題款。我提起筆問他，李書記的老人叫甚麼名字。他說：“不知道。管他叫甚麼，你寫個‘李老伯千古’就行了。”他又再三囑咐我，落款一定要把他的名字寫大些，免得辛苦忙了一夜，人家還不知道是誰個送的。

　　第二天，張識仁連早飯也來不及吃就把花圈綁在自行車後座上蹬車上街去了。

　　吃罷早飯，我因爲要到中學校去看望一位朋友，便也步行上街去。走到半路，忽見遠遠地來了一輛自行車，車後一片白生生的東西，像是船的風帆。近了，纔認出這就是張識仁，搭着那個花圈。怎麼他又折回來？

　　張識仁看見了我，遠遠地減了速，跳下車，站在路邊上。

　　“怎麼你又回來了？”我問他。

　　“搞錯了，不是李書記的老人，是李書記本人死了！”他有點氣憤地說，“活該我倒霉，白白忙了一個晚上！”

"這有甚麼，把花圈上的名字改一改不就行了嗎？"

"我纔不那樣蠢呢，人都死了，還巴結他做甚麼！我留着將來總會有用的。"他說。

這屬哪一號人物？我目瞪口呆了。

選自《微型小説選》第5卷
1985年江蘇人民出版社出版

For Discussion

1. 張識仁爲甚麼花這麼大的力氣做花圈？
2. 張識仁爲甚麼要求把他自己的名字寫大些？
3. 張識仁爲甚麼又把花圈帶回來了？
4. 他爲甚麼又不肯把花圈改成送給李書記？
5. 你覺得張識仁對李書記的父親有感情嗎？
6. 他對李書記本人有沒有感情？
7. 張識仁用這樣的態度對待死人，你覺得他身上缺少甚麼東西？

失题(A Mistake)
苗 青

吃罢晚饭，大队砖窑厂的会计张识仁在堂屋里破竹子。我问他做什么，他说公社李书记的老人死了，他要做一个花圈送去。他自己划篾条，剪纸花，唏里哗啦地忙了半夜，终於弄成了一个花圈。

他叫我帮他提款。我提起笔问他，李书记的老人叫什么名字。他说："不知道。管他叫什么，你写个'李老伯千古'就行了。"他又再三嘱咐我，落款一定要把他的名字写大些，免得辛苦忙了一夜，人家还不知道是谁个送的。

第二天，张识仁连早饭也来不及吃就把花圈绑在自行车后座上蹬车上街去了。

吃罢早饭，我因为要到中学校去看望一位朋友，便也步行上街去。走到半路，忽见远远地来了一辆自行车，车后一片白生生的东西，像是船的风帆。近了，才认出这就是张识仁，搭着那个花圈。怎么他又折回来？

张识仁看见了我，远远地减了速，跳下车，站在路边上。

"怎么你又回来了？"我问他。

"搞错了，不是李书记的老人，是李书记本人死了！"他有点气愤地说，"活该我倒霉，白白忙了一个晚上！"

"这有什么，把花圈上的名字改一改不就行了吗？"

"我才不那样蠢呢，人都死了，还巴结他做什么！我留着将来总会有用的。"他说。

这属哪一号人物？我目瞪口呆了。

选自《微型小说选》第5卷
1985年江苏人民出版社出版

For Discussion

1. 张识仁为什么花这么大的力气做花圈？
2. 张识仁为什么要求把他自己的名字写大些？
3. 张识仁为什么又把花圈带回来了？
4. 他为什么又不肯把花圈改成送给李书记？
5. 你觉得张识仁对李书记的父亲有感情吗？
6. 他对李书记本人有没有感情？
7. 张识仁用这样的态度对待死人，你觉得他身上缺少什么东西？

Notes

	失题（失题）	**shītí**	mistaken inscription
	苗青	**Miáo Qīng**	(name of the author)
*	罷（罢）	**bà**	finished
	大隊（大队）	**dàduì**	brigade
	磚窰廠（砖窑厂）	**zhuānyáochǎng**	brick yard
*	會計（会计）	**kuàijì**	accountant
	張識仁（张识仁）	**Zhāng Shírén**	(name)
	堂屋	**tángwū**	central room
	破	**pò**	break, split
	竹子	**zhúzi**	bamboo
	公社	**gōngshè**	commune
*	書記（书记）	**shūjì**	secretary

✓ | 老人 | **lǎorén** old man, father
花圈 | **huāquān** wreath
◯ 劃（划） | **huá** scratch, scrape _widdle, scrape_
◯ 篾條（篾条） | **miètiáo** thin bamboo strip
* 剪 | **jiǎn** cut with scissors
唏里嘩啦（唏里哗啦）**xīlǐhuālā** rustling sound _loud eating sound / raining sound_
✓ 終于（终于） | **zhōngyú** in the end, finally
弄成 | **nòngchéng** finish making
題款（题款） | **tíkuǎn** write the name of the sender and/or recipient of a gift
老伯 | **lǎobó** uncle
◯ 千古 | **qiāngǔ** through the ages; eternal [rest] (a conventional inscription on funeral wreaths)
* 再三 | **zàisān** twice and three times, repeatedly
囑咐（嘱咐） | **zhǔfu** instruct, exhort
落款 | **luòkuǎn** write the name of the sender and recipient of a gift
* 免得 | **miǎnde** avoid
* 辛苦 | **xīnkǔ** work hard
✓ * 人家 | **rénjiā** people, they, he
綁（绑） | **bǎng** tie
◯ 蹬車（蹬车） | **dēngchē** pedal a bicycle
◯ 看望 | **kànwàng** go to see, visit
◯ 步行 | **bùxíng** go on foot, walk
✓ 忽 | **hū** suddenly

A Mistake 105

✓	片	**piàn**	measure word for flat, thin objects
◎	帆	**fān**	sail
◎	搭	**dā**	hold up, carry over the shoulder
◎	折回來	**zhéhuílaí**	turn back
	減速	**jiǎnsù**	slow down
	跳下	**tiàoxià**	jump off
	搞錯（搞错）	**gǎocuò**	get it wrong, make a mistake
✓	本人	**běnrén**	himself
	氣憤地（气愤地）	**qìfènde**	indignantly
	活該（活该）	**huógāi**	get what one deserves
	倒霉	**dǎoméi**	have bad luck
*	白白	**báibái**	in vain, for nothing
	纔（才）	**cái**	really
	蠢	**chǔn**	stupid
	巴結（巴结）	**bājie**	flatter, curry favor with
	留	**liú**	keep
*	屬（属）	**shǔ**	belong to
	人物	**rénwù**	personage, character
	目瞪口呆	**mùdèng kǒudāi**	stupefied; dumbfounded
	缺少	**quēshǎo**	lack

新潮 (New Trend)

張　征

　　唐英老嫌自己穿的不够水平，光訂《時裝》、《當代服飾》、《服裝剪裁》等雜誌月月就花五、六塊！可她還感到不够"水"！下了班站在大穿衣鏡前老酸溜溜的。

　　她也不知在甚麼時候，發現了一個新大陸！在她們家的左邊大約二百米處，住進了一位英國妙齡女郎！人家金發碧眼，穿的那衣服，這麼説吧，國内根本没見過，别説唐英了，連《時裝》之類的編輯們恐怕也都是"車子貨"（意爲不開眼的笨東西），那身衣服，上邊有點蝙蝠衫狀，到腰間却極有順序地攏住，然后又極有綫條地放開，直到脚面。説連衣褲不連衣褲，真絶了！而且是一種正經的綢布做的，一走哆哆嗦嗦地現出女郎的苗條身材和臀、大腿來。唐英看呆了！人家和自己個頭相仿，自己還配當現代人麼？她臉上讓人揉了辣椒一樣的難受！

　　於是，她天天在街心花園拐角處找準時間與女郎走對面，而且幾乎迎住人家，用種放肆的目光上下打量！盡管這極不禮貌，可顧不得了！

　　隱隱的，唐英，這個姑娘也發現英國女郎也上下打量她，而且臉上有一絲難以捉摸的笑，唐英不會英語，也不打算對話，祇想看懂這種"蓋了帽"

的新潮衣服！

唐英極聰明，用整整一個星期六晚上和星期天全天，縶在屋子裏對着大鏡子又比又剪又是猛蹬縫紉機。整整二十五個小時，一套真正的足以讓英國女郎看得碧眼變紅的新潮流服裝誕生了，而且她還在胸前縫上了一個鮮蹦亂跳的絨熊猫！小販賣這衣服，少説要價二百塊。

第二天，唐英五點就起床了，她穿好熨好又在床下壓了一晚上的衣服，又用心梳了個披肩髮，描了眉、化了層淺淡妝。真有點絕代佳人的風姿！連她自己也陶醉了！美，在這兒！唐英感到心頭莫名其妙地跳。這是一種幸福、歡樂！心理學家是這麼形容諸如此類時刻的心動過速的。

七點四十分，英國女郎準時走出大樓去坐地鐵上班。唐英得意地走了過去，那邊急促而熟悉的脚步響了起來，她盡量挺直了身子，把脚步放得慢而且穩。

天！

她和英國女郎在這街心公園拐角處目光相撞的刹那間全都捂上了嘴，兩人離着五六米僵僵地站着，雙眼直勾勾地盯住對方，壓不住地發出吃驚的叫！英國女郎穿了一件和唐英剛換下的那件一模一樣的中式藕荷色旗袍。連花都是桃花！

選自《百花園》1987年第10期

For Discussion

1. 每個月唐英花多少錢訂時裝雜志？
2. 唐英家左邊住着甚麽吸引她注意的人？
3. 後來，唐英每天在街心公園拐角處做甚麽？
4. 唐英在一個周末用二十五個鐘頭做成了甚麽事？
5. 見到英國女郎之後，爲甚麽兩個人都很吃驚？
6. 從這個故事中，你可以發現甚麽道理？
7. 象唐英這樣的人，在美國多不多？

新潮 (New Trend)
张 征

　　唐英老嫌自己穿的不够水平，光订《时装》、《当代服饰》、《服装剪裁》等杂誌月月就花五、六块！可她还感到不够"水"！下了班站在大穿衣镜前老酸溜溜的。

　　她也不知在什么时候，发现了一个新大陆！在她们家的左边大约二百米处，住进了一位英国妙龄女郎！人家金发碧眼，穿的那衣服，这麽说吧，国内根本没见过，别说唐英了，连《时装》之类的编辑们恐怕也都是"车子货"（意为不开眼的笨东西），那身衣服，上边有点蝙蝠衫状，到腰间却极有顺序地拢住，然后又极有线条地放开，直到脚面。说连衣裤不连衣裤，真绝了！而且是一种正经的绸布做的，一走哆哆嗦嗦地现出女郎的苗条身材和臀、大腿来。唐英看呆了！人家和自己个头相仿，自己还配当现代人麼？她脸上让人揉了辣椒一样的难受！

於是，她天天在街心花园拐角处找准时间与女郎走对面，而且几乎迎住人家，用种放肆的目光上下打量！尽管这极不礼貌，可顾不得了！

隐隐的，唐英，这个姑娘也发现英国女郎也上下打量她，而且脸上有一丝难以捉摸的笑，唐英不会英语，也不打算对话，祇想看懂这种"盖了帽"的新潮衣服！

唐英极聪明，用整整一个星期六晚上和星期天全天，扎在屋子里对着大镜子又比又剪又是猛蹬缝纫机。整整二十五个小时，一套真正的足以让英国女郎看得碧眼变红的新潮流服装诞生了，而且她还在胸前缝上了一个鲜蹦乱跳的绒熊猫！小贩卖这衣服，少说要价二百块。

第二天，唐英五点就起床了，她穿好熨好又在床下压了一晚上的衣服，又用心梳了个披肩发，描了眉、化了层浅淡妆。真有点绝代佳人的风姿！连她自己也陶醉了！美，在这儿！唐英感到心头莫名其妙地跳。这是一种幸福、欢乐！心理学家是这么形容诸如此类时刻的心动过速的。

七点四十分，英国女郎准时走出大楼去坐地铁上班。唐英得意地走了过去，那边急促而熟悉的脚步响了起来，她尽量挺直了身子，把脚步放得慢而且稳。

天!

她和英国女郎在这街心公园拐角处目光相撞的刹那间全都捂上了嘴,两人离着五六米僵僵地站着,双眼直勾勾地盯住对方,压不住地发出吃惊的叫!英国女郎穿了一件和唐英刚换下的那件一模一样的中式藕荷色旗袍。连花都是桃花!

选自《百花园》1987年第10期

For Discussion

1. 每个月唐英花多少钱订时装杂志?
2. 唐英家左边住着什么吸引她注意的人?
3. 后来,唐英每天在街心公园拐角处做什么?
4. 唐英在一个周末用二十五个钟头做成了什么事?
5. 见到英国女郎之后,为什么两个人都很吃惊?
6. 从这个故事中,你可以发现什么道理?
7. 象唐英这样的人,在美国多不多?

Notes

潮	**cháo**	tide
新潮	**xīncháo**	new trend
张征（张征）	**Zhāng Zhēng**	(name of the author)
唐英	**Táng Yīng**	(name)
* 嫌	**xián**	dislike the fact that, resent

水平	shǔipíng level, degree
* 不够水平	bùgòu shǔipíng below standard
光	guāng merely, alone
訂（订）	dìng subscribe to
時裝（时装）	shízhuāng latest fashion
服飾（服饰）	fúshì dress and adornments, fashion
* 服裝（服装）	fúzhuāng clothing, costume
剪裁	jiǎncái cut out a pattern, tailor
鏡（镜）	jìng mirror
老	lǎo always
酸溜溜	suānliūliū sour, sore
* 大約（大约）	dàyūe approximately
妙齡（妙龄）	miàolíng young (of a girl)
女郎	nǚláng young woman
人家	rénjiā that person, he, she
金發（金发）	jīnfà golden hair
碧眼	bìyǎn green eyes
……之類（之类）	... zhīlèi ... type
編輯（编辑）	biānjí editor
連《時裝》之類的編輯（连《时装》之类的编辑）	even editors of magazines like "Latest Fashion"
* 恐怕	kǒngpà I'm afraid, probably
車子貨（车子货）	chēzihuò lit., baggage on the cart; dull, out of touch
笨	bèn stupid

蝙蝠		**biānfú**	bat (animal)
衫狀（衫状）		**shānzhuàng**	shape of the shirt
腰		**yāo**	waist
極（极）		**jí**	very
*	順序（顺序）	**shùnxù**	sequence, order
	攏住（拢住）	**lǒngzhù**	hold close, bind together
	綫條（线条）	**xiàntiáo**	lines (in art)
	放開（放开）	**fàngkāi**	open out
	脚面	**jiǎomiàn**	top of the feet
	連衣褲（连衣裤）	**liányīkù**	jumpsuit (garment with trousers attached to blouse)
	絶了（绝了）	**juéle**	superb, unique
*	正經（正经）	**zhèngjing**	real, standard
	綢布（绸布）	**chóubù**	silk fabric
	哆哆嗦嗦	**duōduosuōsuo**	tremble, shiver
	苗條（苗条）	**miáotiáo**	slender
	身材	**shēncái**	figure
	臀	**tún**	buttocks
	大腿	**dàtǔi**	thighs
	看呆	**kàndāi**	stupefied
	個頭（个头）	**gètóu**	height
	相仿	**xiāngfǎng**	similar
*	配	**pèi**	deserve
	揉	**róu**	rub
	辣椒	**làjiāo**	hot pepper
	拐角	**guǎijiǎo**	turn the corner

準時間（准时间）zhǔn shíjiān　on time, on schedule

迎住　　　　　　yíngzhù　meet

放肆　　　　　　fàngsì　unrestrained

目光　　　　　　mùguāng　glance, gaze

* 打量　　　　　　dǎliàng　appraise, size up

禮貌（礼貌）　　lǐmào　good manners

* 顧不得（顾不得）gùbudé　can't pay attention to it, can't worry about it

隱隱的（隐隐的）yǐnyǐnde　indistinctly, faintly

捉摸　　　　　　zhuōmō　grasp, fathom

蓋了帽（盖了帽）gàilemào　"wearing a hat," top-notch

紮（扎）　　　　zhā　dash into

剪　　　　　　　jiǎn　cut

猛　　　　　　　měng　fiercely, energetically

蹬　　　　　　　dēng　press with the foot, treadle

縫紉機（缝纫机）féngrènjī　sewing machine

一套　　　　　　yítào　a set

足以　　　　　　zúyǐ　sufficient to

潮流　　　　　　cháoliú　tide, trend

誕生（诞生）　　dànshēng　be born, emerge

* 胸　　　　　　　xiōng　chest

縫（缝）　　　　féng　sew

鮮蹦亂跳（鲜蹦乱跳）xiānbèngluàntiào　lively

絨（绒）　　　　róng　velvet

熊猫（熊猫）　　xióngmāo　panda

小販（小贩）	**xiǎofàn**	vendor, peddler
要價（要价）	**yàojià**	asking price
熨	**yùn**	iron, press
壓（压）	**yā**	press down
梳	**shū**	comb
披肩	**pījiān**	drape over the shoulders
描	**miáo**	draw, trace
眉	**méi**	eyebrow
化妝	**huàzhuāng**	put on makeup
* 曾	**céng**	layer
淺（浅）	**qiǎn**	shallow, thin, light
絕代佳人（绝代佳人）	**juédài jiārén**	a beautiful woman unrivaled in one's time
風姿（风姿）	**fēngzī**	charm
陶醉	**táozuì**	intoxicated
莫名其妙	**mòmíngqímiào**	for some unknown reason
幸福	**xìngfú**	happiness
歡樂（欢乐）	**huānlè**	joy
* 形容	**xíngróng**	describe
諸如此類（诸如此类）	**zhūrú cǐlèi**	all things of this sort
* 時刻（时刻）	**shíkè**	time, moment
心動過速（心动过速）	**xīndòng guòsù**	heart beats too rapidly, palpitations
地鐵（地铁）	**dìtiě**	subway
急促	**jícù**	rapid, hurried

熟悉	**shúxī**	familiar
脚步	**jiǎobù**	footsteps
響（响）	**xiǎng**	sound out, ring out

* 盡量（尽量）　　**jìnliàng**　to one's utmost

挺直　　**tǐngzhí**　straighten up

穩（稳）　　**wěn**　steady, firm

相撞　　**xiāngzhuàng**　meet each other, encounter each other

刹那　　**chànà**　instant

捂嘴　　**wǔzǔi**　cover the mouth with the hand

僵僵地　　**jiāngjiāngde**　stiffly, rigidly

勾勾地　　**gōugōude**　like a hook, tightly

盯住　　**dīngzhù**　stare at

吃驚（吃惊）　　**chījīng**　startled

換下　　**huànxià**　take off

一模一樣（一模一样）**yìmúyíyàng**　exactly the same

中式　　**zhōngshì**　Chinese style

藕荷　　**ǒuhé**　lotus color, pale lavender

旗袍　　**qípáo**　chipao, close-fitting Chinese dress

桃花　　**táohuā**　peach blossoms

吸引　　**xīyǐn**　attract

周末　　**zhōumò**　weekend

道理　　**dàolǐ**　reasoning, lessons

胖子和瘦子(Fat and Thin)

馮 驥 才

這城裏，胖子和瘦子是一對朋友。一個胖得出奇，一個瘦得驚人。這胖子等于瘦子四個左右。

那時，胖子走紅運。當官兒必需是胖子，畫家專畫胖子，女人也要挑胖男人做丈夫。人人說胖子塊頭足，身壯力不虧，能顯出真正的男子氣。於是就出現愈胖愈好的趨勢。這位本城最胖的胖子就受到格外重視，人們都向他討教"胖身術"。他的照片、言論、軼事，到處争搶刊載。其中他的兩句發胖經驗："多吃多睡。動不如靜。"被全城人當作口頭禪與座右銘。照這兩句話去做，果真見效！本城的胖子就愈來愈多，但一時胖不起來有鼓腮挺肚、假裝胖子的也不乏其人。一次，胖子被一群記者糾纏住，非請他說一說發胖的秘訣不可，他信口說一句："要衣鬆帶寬！"當日全城加肥衣服就被搶購一空。各種腰帶都滯銷了。此刻，任何有能耐的大導演、演員、球星、發明家、魔術大師、特異功能者，都壓不過胖子的名氣。

某日，胖子興致勃勃地去找老朋友瘦子。他見瘦子依舊細骨伶仃，便伸出肉滾兒一般的食指直對瘦子的肋巴骨說：

"現在城裏人人都學我，你是我的好朋友，爲甚麼反不學我？天下還有比你再瘦的人嗎？"

瘦子淡淡一笑，頗含自負地説：

"別看你一時走紅，等你過了勁兒，就該輪到我了。不信，走着瞧吧！"

過一年，真有了變化。不知哪來一種説法：人胖，發喘，出汗，行動不便，脂肪囤積多，容易患血管病，有百害而無一利。當人們對一種東西的好奇與興致漸漸淡了，相反的東西就現出魅力。這説法即刻像一陣風吹遍全城，跟着，有人在報紙上發表整版一篇文章，曰《瘦了好！》。文章揚瘦抑胖，議論周密，又十分有理。他説，瘦子靈便，體輕，占用空間小，心臟負擔也小，不易患血管病；據統計，長壽的人中，百分之九十八是瘦子，百分之一是不胖不瘦的，祇有一個胖子，看來胖子長命純屬偶然。

自此，人們又開始關心"瘦身法"了，那個一直被世人遺忘的瘦子，終於被人們當作一件稀世的寶貝發現了。瘦子的經驗剛好與胖子的相反。他要人們：節食、素食、少吃糖，不喝啤酒，早起打拳，飯后散步，生命在於運動……於是，原先寫文章稱頌胖子的那些人，有筆鋒一轉，紛紛撰文，引經據典，有理有據，證實瘦子的經驗如何寶貴、可靠和正確。並贊美瘦子是"當代人最佳體重"，"最符合時代要求的體重"，"典型形象"等等。報刊上有關胖子的報道一下子不見了。瘦子像片羽毛，一陣風，上了天。他的照片、軼事、經驗、趣聞、言論、訪問記、報告文學，像漫天飛花，風靡一時。

這天，瘦子在街上遇見胖子。胖子被冷落了。灰頭灰腦，無精打采，他感慨地對瘦子說：

當初你的話還真說對了，早知聽你的話，提早設法變瘦。如今一下子很難瘦下去！”

瘦子聽了，搖了搖他乾樹枝般的手指說：

“不！你應該保持這樣，說不定哪天又時興胖子了！”

選自《鴨綠江》1982年第8期

For Discussion

1. 您覺得在男人中間，美國人喜歡胖子還是瘦子？
2. 在美國，有書或雜志教人們怎樣發胖嗎？
3. 這篇故事的作者說，當人們對一種東西的好奇漸漸淡了，相反的東西就現出魅力。你同意嗎？你能找出其他的例子嗎？
4. 胖子出名的時候，瘦子跟他仍然是好朋友；相反也一樣。你覺得這可信嗎？
5. 假如不是因為身體胖或瘦，而是因為別的更“嚴肅”的問題，在兩個好朋友之間，出現這樣的情況；你覺得他們還會是朋友嗎？
6. 你覺得胖子和瘦子之間，哪個人更聰明？
7. 從這個故事看來，世界上一般的人聰明不聰明？

胖子和瘦子(Fat and Thin)

冯 骥 才

这城里，胖子和瘦子是一对朋友。一个胖得出奇，一个瘦得惊人。这胖子等于瘦子四个左右。

那时，胖子走红运。当官儿必需是胖子，画家专画胖子，女人也要挑胖男人做丈夫。人人说胖子块头足，身壮力不亏，能显出真正的男子气。於是就出现愈胖愈好的趋势。这位本城最胖的胖子就受到格外重视，人们都向他讨教"胖身术"。他的照片、言论、轶事，到处争抢刊载。其中他的两句发胖经验："多吃多睡。动不如静。"被全城人当作口头禅与座右铭。照这两句话去做，果真见效！本城的胖子就愈来愈多，但一时胖不起来有鼓腮挺肚、假装胖子的也不乏其人。一次，胖子被一群记者纠缠住，非请他说一说发胖的秘诀不可，他信口说一句："要衣松带宽！"当日全城加肥衣服就被抢购一空。各种腰带都滞销了。此刻，任何有能耐的大导演、演员、球星、发明家、魔术大师、特异功能者，都压不过胖子的名气。

某日，胖子兴致勃勃地去找老朋友瘦子。他见瘦子依旧细骨伶仃，便伸出肉滚儿一般的食指直对瘦子的肋巴骨说：

"现在城里人人都学我，你是我的好朋友，为什麽反不学我？天下还有比你再瘦的人吗？"

瘦子淡淡一笑，颇含自负地说：

"别看你一时走红，等你过了劲儿，就该轮到我了。不信，走着瞧吧！"

过一年，真有了变化。不知哪来一种说法：人胖，发喘，出汗，行动不便，脂肪囤积多，容易患血管病，有百害而无一利。当人们对一种东西的好奇与兴致渐渐淡了，相反的东西就现出魅力。这说法即刻像一阵风吹遍全城，跟着，有人在报纸上发表整版一篇文章，曰《瘦了好！》。文章扬瘦抑胖，议论周密，又十分有理。他说，瘦子灵便，体轻，占用空间小，心脏负担也小，不易患血管病；据统计，长寿的人中，百分之九十八是瘦子，百分之一是不胖不瘦的，只有一个胖子，看来胖子长命纯属偶然。

自此，人们又开始关心"瘦身法"了，那个一直被世人遗忘的瘦子，终于被人们当作一件稀世的宝贝发现了。瘦子的经验刚好与胖子的相反。他要人们：节食、素食、少吃糖，不喝啤酒，早起打拳，饭后散步，生命在于运动……　于是，原先写文章称颂胖子的那些人，有笔锋一转，纷纷撰文，引经据典，有理有据，证实瘦子的经验如何宝贵、可靠和正确。并赞美瘦子是"当代人最佳体重"，"最符合时代要求的体重"，"典型形象"等等。报刊上有关胖子的报道一下子不见了。瘦子像片羽毛，一阵风，上了天。他的照片、轶事、经验、趣闻、言论、访问记、报告文学，像漫天飞花，风靡一时。

这天，瘦子在街上遇见胖子。胖子被冷落了。灰头灰脑，无精打采，他感慨地对瘦子说：

当初你的话还真说对了，早知听你的话，提早设法变瘦。如今一下子很难瘦下去！"

瘦子听了，摇了摇他干树枝般的手指说：

"不！你应该保持这样，说不定哪天又时兴胖子了！"

选自《鸭绿江》1982年第8期

For Discussion

1. 您觉得在男人中间，美国人喜欢胖子还是瘦子？

2. 在美国，有书或杂志教人们怎样发胖吗？

3. 这篇故事的作者说，当人们对一种东西的好奇渐渐淡了，相反的东西就现出魅力。你同意吗？你能找出其他的例子吗？

4. 胖子出名的时候，瘦子跟他仍然是好朋友；相反也一样。你觉得这可信吗？

5. 假如不是因为身体胖或瘦，而是因为别的更"严肃"的问题，在两个好朋友之间，出现这样的情况；你觉得他们还会是朋友吗？

6. 你觉得胖子和瘦子之间，哪个人更聪明？

7. 从这个故事看来，世界上一般的人聪明不聪明？

Notes

* 胖子　　　　　　**pàngzi**　fat person
* 瘦子　　　　　　**shòuzi**　thin person

　馮驥才（冯骥才）**Féng Jìcái**　(name of the author)

　出奇　　　　　　**chūqí**　amazing

　驚人（惊人）　　**jīngrén**　startling

* 等於（等于）　　**děngyú**　equal to

　走紅運（走红运）**zǒu hóngyùn**　be in fashion

　當官兒（当官儿）**dāng guār**　be an official, hold office

* 必需　　　　　　**bìxū**　necessary

* 挑　　　　　　　**tiāo**　choose, select

　塊頭（块头）　　**kuàitou**　stature, build

　足　　　　　　　**zú**　sufficient

　壯（壮）　　　　**zhuàng**　strong, robust

　不虧（不亏）　　**bùkuī**　nothing lacking, nothing to apologize for

* 顯出（显出）　　**xiǎnchū**　display, exhibit

　愈……愈……　　**yù . . . yù . . .**　the more . . . the more . . .

　趨勢（趋势）　　**qūshì**　trend, tendency

　本　　　　　　　**běn**　this

　本城　　　　　　**běnchéng**　this city

　格外　　　　　　**géwài**　especially, exceptionally

　重視（重视）　　**zhòngshì**　pay attention to, think highly of

討教（讨教）	**tǎojiào**	seek advice
軼事（轶事）	**yìshì**	anecdote
爭搶（争抢）	**zhēngqiǎng**	compete, scramble for
刊載（刊载）	**kānzǎi**	publish
經驗（经验）	**jīngyàn**	experience
不如	**bùrú**	not as good as
口頭禪（口头禅）	**kǒutóuchán**	pet phrase
座右銘（座右铭）	**zuòyòumíng**	motto
見效（见效）	**jiànxiào**	become effective
鼓腮	**gǔsāi**	puff out the cheeks
挺肚	**tǐngdù**	stick out the belly
* 假裝（假装）	**jiǎzhuāng**	pretend
不乏其人	**bùfáqírén**	there is no lack of such people
糾纏（纠缠）	**jiūchán**	entangle, pester, nag
非……不可	**fēi . . . bùkě**	insist on
秘訣（秘诀）	**mìjué**	secret
衣鬆帶寬（衣松带宽）	**yīsōng dàikuān**	[wear the] clothes loose and belt slack
肥	**féi**	fat, loose, baggy
肥衣服	**féiyīfu**	loose clothing
搶購（抢购）	**qiǎnggòu**	rush to buy
腰帶（腰带）	**yāodài**	belt
滯銷（滞销）	**zhìxiāo**	stagnant sales, unmarketable
此刻	**cǐkè**	at this time
任何	**rènhé**	any

能耐	**néngnai**	skill, ability
導演（导演）	**dǎoyǎn**	director (of film or play)
演員（演员）	**yǎnyuán**	actor
球星	**qíuxīng**	ball(game) star, athlete
魔術（魔术）	**móshù**	magic
特異（特异）	**tèyì**	special, distinctive
* 功能	**gōngnéng**	function
壓不過（压不过）	**yābuguò**	can't suppress, can't outdo
名氣（名气）	**míngqi**	fame, reputation
某	**mǒu**	a certain
某日	**mǒurì**	one day
興致勃勃地（兴致勃勃地）	**xìngzhì bóbóde**	in an elated mood, in high spirits
* 依舊（依旧）	**yījiù**	as before
細骨（细骨）	**xìgǔ**	slender bones
伶仃	**língdīng**	lonely, alone
伸出	**shēnchū**	extend stretch out
肉滾兒（肉滾儿）	**ròugǔr**	meat rolls, meatballs
食指	**shízhǐ**	index finger
肋巴骨	**lèibāgǔ (also lèbāgǔ)**	ribs
淡淡	**dàndàn**	indifferent
頗含自負（颇含自负）	**pōhán zìfù**	somewhat conceited, rather self-satisfied
過了勁兒（过了劲儿）	**guòle jìnr**	out of fashion, no longer the rage
輪（轮）	**lún**	turn, come around to

	瞧	**qiáo**	look
	發喘（发喘）	**fāchuǎn**	gasp for breath, pant
	出汗	**chūhàn**	perspire, sweat
	脂肪	**zhīfáng**	fat
	囤積（囤积）	**túnjí**	store, deposit
	患病	**huànbìng**	suffer from an illness
	血管	**xùeguǎn**	blood vessel
*	害	**hài**	harm
*	利	**lì**	benefit
	當（当）	**dāng**	when
	興致（兴致）	**xìngzhì**	interest
*	漸漸（渐渐）	**jiànjiàn**	gradually
	魅力	**mèilì**	charm, fascination
	即刻	**jíkè**	at once, immediately
	整板	**zhěngbǎn**	whole page
	曰	**yuē**	saying
	揚（扬）	**yáng**	raise, publicize
	抑	**yì**	press down, repress
	議論（议论）	**yìlùn**	discuss
	周密	**zhōumì**	thorough, careful
	靈便（灵便）	**língbian**	agile, nimble
	占用	**zhànyòng**	occupy
	心臟（心脏）	**xīnzàng**	heart
	負擔（负担）	**fùdān**	burden
	據（据）	**ju**	according to
*	統計（统计）	**tǒngjì**	statistics

長壽（长寿） **chángshòu** longlived

長命（长命） **chángmìng** long life

純屬偶然（纯属偶然）**chún shǔ ǒurán** purely by chance, fortuitous

遺忘（遗忘） **yíwàng** forget

希世 **xīshì** rare, precious

寶貝（宝贝） **bǎobèi** treasure

節食（节食） **jiéshí** eat sparingly, diet

素食 **sùshí** eat vegetarian food

糖 **táng** sugar

啤酒 **píjiǔ** beer

打拳 **dǎquán** practice taijiquan exercises

散步 **sànbù** walk, stroll

原先 **yuánxiān** previously

稱頌（称颂） **chēngsòng** praise

筆鋒（笔锋） **bǐfēng** tip of the pen

筆鋒一轉（笔锋一转）**bǐfēng yīzhuǎn** change the subject about which one writes

紛紛（纷纷） **fēnfēn** one after another, in profusion

撰文 **zhuànwén** compose texts

引經據典（引经据典） **yǐnjīng jùdiǎn** cite the classics

證實（证实） **zhèngshí** prove, confirm

正確（正确） **zhèngquè** correct, right, accurate

贊美（赞美） **zànměi** praise

佳	**jiā**	good, favorable
體重（体重）	**tǐzhòng**	body weight
* 符合	**fúhé**	in accord with
* 要求	**yāoqiú**	requirements, demands
典型	**diǎnxíng**	typical, model
形像	**xíngxiàng**	image, form
片	**piàn**	measure for feathers
羽毛	**yǔmáo**	feather
趣聞（趣闻）	**qùwén**	interesting news
訪問記（访问记）	**fǎngwènjì**	report, interview
漫天	**màntiān**	fill the sky
風靡一時（风靡一时）	**fēngmǐ yìshí**	fashionable for a time
冷落	**lěngluò**	treat coldly, ignore
灰頭灰腦（灰头灰脑）	**huītóu huīnǎo**	depressed
無精打彩（无精打彩）	**wújīng dǎcǎi**	listless
感慨	**gǎnkǎi**	sigh
當初（当初）	**dāngchū**	at first
摇	**yáo**	wave
乾（干）	**gān**	dry
保持	**bǎochí**	preserve, maintain
時興（时兴）	**shíxīng**	fashionable
其他	**qítā**	other, additional
嚴肅（严肃）	**yánsù**	serious

縫隙 (A Rift)

孫 乃 明

你發現一個秘密。

那一天，你休息他不休。你在家整理書櫃。一本大學課本裏滑落出一張照片和一封信。

照片上的姑娘，長睫毛，大眼睛，披肩髮。你認識她。你和他結婚時，她從數百裏趕來祝賀。他向你坦白：她是他大學裏的同學。他們戀愛過。她父母不同意唯一的女兒離開他們。他和她分了手。

信，滿紙滾燙，滿紙纏綿。是她幾年前寫給他的，那時你和他還不認識。

他爲啥至今還保留她的照片和她的信？莫非舊情未了？藕斷絲連？你這樣想。

他對你極好。你"三班倒"，他把飯菜做得香甜可口。你活兒累，他把衣服洗得纖塵不染。你心不順，他領你去看電影《歡歡笑笑》。你在準備參加自學高考，他給你講解量變與質變原理、奧賽羅與苔絲的故事……然而這照片這信又作何解釋？你懷疑。

你想搞清楚這件事。當面問？不好，問不出虛實。生悶氣？也不妥，太傷感情。你冥思苦想，生出了一個妙計。

你摹仿她的字體給他寫一封短信。

忠清：

　　我現在本市開會，因會議安排很緊，無暇前去拜訪，特訂於明日晚七時在青年公園門口見面。千萬來！

小萍

x 月 x 日

　　你把信投進郵筒，高興得像將軍打了勝仗。

　　第二天傍晚下班后，他把收到的這封信交給你。你憋住笑，佯裝看信。

　　他說："信很怪，也沒說住哪，咱倆去接接看。"

　　你成功了。你錯怪了他。

　　你撲哧一聲笑了，拿出她的照片她的信，告訴了你的惡作劇。

　　他冷冷地說："這個當時是準備還給她的，可是怎麼也沒找着，直到今天……，唉！沒想到你却……"

　　他愣愣地看着你。

　　這一夜，他沒說一句話。

選自《精短小説報》1988 年第 1 期

For Discussion

1. 這個丈夫爲甚麼跟他過去的女朋友分了手？

2. 甚麽叫作藕斷絲連？

3. 這個妻子爲甚麽不肯當面問她的丈夫煩擾她的問題？

4. 你覺得她想出的辦法，是一個好辦法嗎？

5. 假如她的丈夫另有女朋友，妻子應該生氣和害怕才對，爲甚麽信寄出以后，她反而特別高興？

6. 這種高興的心情，表現了她甚麽樣的心理特點？

7. 這一夜，丈夫爲甚麽不説話？他爲甚麽不高興？

缝隙 (A Rift)

孙 乃 明

你发现一个秘密。

那一天，你休息他不休。你在家整理书柜。一本大学课本里滑落出一张照片和一封信。

照片上的姑娘，长睫毛，大眼睛，披肩发。你认识她。你和他结婚时，她从数百里赶来祝贺。他向你坦白：她是他大学里的同学。他们恋爱过。她父母不同意唯一的女儿离开他们。他和她分了手。

信，满纸滚烫，满纸缠绵。是她几年前写给他的，那时你和他还不认识。

他为啥至今还保留她的照片和她的信？莫非旧情未了？藕断丝连？你这样想。

他对你极好。你"三班倒"，他把饭菜做得香甜可口。你活儿累，他把衣服洗得纤尘不染。你心不顺，他领你去看电影《欢欢笑笑》。你在准备参加自学高考，他给你讲解量变与质变原理、奥赛罗与苔丝的故事……然而这照片这信又作何解释？你怀疑。

你想搞清楚这件事。当面问？不好，问不出虚实。生闷气？也不妥，太伤感情。你冥思苦想，生出了一个妙计。

你摹仿她的字体给他写一封短信。

> 忠清：
> 我现在本市开会，因会议安排很紧，无暇前去拜访，特订于明日晚七时在青年公园门口见面。千万来！
> 小萍
> 　　　　　　　　x 月 x 日

你把信投进邮筒，高兴得像将军打了胜仗。

第二天傍晚下班后，他把收到的这封信交给你。你憋住笑，佯装看信。

他说："信很怪，也没说住哪，咱俩去接接看。"

你成功了。你错怪了他。

你扑哧一声笑了，拿出她的照片她的信，告诉了你的恶作剧。

他冷冷地说："这个当时是准备还给她的，可是怎么也没找着，直到今天……，唉！没想到你却……"

他愣愣地看着你。

这一夜，他没说一句话。

选自《精短小说报》1988 年第 1 期

For Discussion

1. 这个丈夫为什么跟他过去的女朋友分了手？
2. 什么叫作藕断丝连？
3. 这个妻子为什么不肯当面问她的丈夫烦扰她的问题？
4. 你觉得她想出的办法，是一个好办法吗？
5. 假如她的丈夫另有女朋友，妻子应该生气和害怕才对，为什么信寄出以后，她反而特别高兴？
6. 这种高兴的心情，表现了她什么样的心理特点？
7. 这一夜，丈夫为什么不说话？他为什么不高兴？

Notes

縫隙（缝隙）　**fèngxī**　crack, fissure, rift

孫乃明（孙乃明）**Sūn Nǎimíng**　(name of the author)

發現（发现）　**fāxiàn**　discover

* 秘密　**mìmì**　secret

* 休息　**xiūxi**　rest, have a day off

* 整理　**zhěnglǐ**　put in order, straighten

書櫃（书柜）　**shūguì**　bookcase

滑落	**huáluò** slide out, slip out
照片	**zhàopiàn** photograph
姑娘	**gūniang** girl
睫毛	**jiémáo** eyelashes
眼睛	**yǎnjīng** eyes
披肩發（披肩发）	**pījiānfà** hair spread over the shoulder
數百裏（数百里）	**shǔbǎilǐ** several hundred **li** (Chinese measure of distance)
* 趕（赶）	**gǎn** hurry
* 祝賀（祝贺）	**zhùhè** congratulate
* 坦白	**tǎnbái** honest, frank
戀愛（恋爱）	**liàn'ài** love, be in love
* 唯一	**wéiyī** only
離開（离开）	**líkāi** leave, depart from
分手	**fēnshǒu** part, go their separate ways
滿	**mǎn** entire
滾燙（滚烫）	**gǔntàng** boiling hot, torrid
纏綿（缠绵）	**chánmián** sentimental
爲啥（为啥）	**wèishà** why? (= 爲甚麽)
* 至今	**zhìjīn** up to now
保留	**bǎoliú** keep
* 莫非	**mòfēi** can it be?
舊情（旧情）	**jiùqíng** old feelings
未了	**wèiliǎo** not yet finished, not over
藕斷絲連（藕断丝连）	**ǒuduàn sīlián** "the lotus

root snaps but its fibers stay joined," said of people who, though separated, still think fondly of each other

極（极） **jí** very

三班倒 **sānbāndǎo** work in three shifts, be at work

香甜 **xiāngtián** fragrant and sweet

可口 **kěkǒu** tasty

活兒（活儿） **huór** work, job

* 累 **lèi** tired

纖塵不染（纤尘不染）**xiānchénbùrǎn** not a speck of dirt soiling it

不順（不顺） **búshùn** not in agreement, not in line

心不順（心不顺）**xīnbúshùn** depressed

* 領（领） **lǐng** lead, take

準備（准备） **zhǔnbèi** prepare

講解（讲解） **jiǎngjiě** explain

量變（量变） **liàngbiàn** quantitative change

質變（质变） **zhìbiàn** qualitative change

* 原理 **yuánlǐ** principles

奧賽羅（奥赛罗）**Aòsàiluó** Othello

苔絲 **Táisī** Tess

解釋（解释） **jiěshi** explain

* 懷疑（怀疑） **huáiyí** suspicious

搞清楚 **gǎoqīngchǔ** get it clear

當面（当面） **dāngmiàn** face to face

虛實（虛实）　**xūshí**　falsity or truth, actual situation

生悶氣（生闷气）**shēngmènqì**　sulk

不妥　**bùtuǒ**　not proper

傷感情（伤感情）**shāng gǎnqíng**　hurt one's feelings

冥思苦想　**míngsī kǔxiǎng**　think long and hard, rack one's brains

妙計（妙计）　**miàojì**　wonderful plan

* 摹仿　**mófǎng**　copy

字體（字体）　**zìtǐ**　style of writing

忠清　**Zhōngqīng**　(name)

本市　**běnshì**　this city

會議（会议）　**huìyì**　meeting, conference

* 安排　**ānpái**　arrange, schedule

緊（紧）　**jǐn**　tight

無暇（无暇）　**wúxiá**　have no time

拜訪（拜访）　**bàifǎng**　go to visit

特訂（特订）　**tèdìng**　specially arrange

千萬（千万）　**qiānwàn**　be sure to, definitely

小蘋（小苹）　**Xiǎopíng**　(name)

投進（投进）　**tóujìn**　throw into, drop into

郵筒（邮筒）　**yóutǒng**　mailbox

將軍（将军）　**jiāngjūn**　(military) general

打勝仗（打胜仗）**dǎshèngzhàng**　fight a victorious battle

傍晚　**bàngwǎn**　near evening

憋住	**biēzhù**	hold back, suppress
佯裝（佯装）	**yángzhuāng**	pretend
咱倆（咱俩）	**zánliá**	the two of us, you and I
接	**jiē**	meet, welcome
成功	**chénggōng**	succeed
錯怪（错怪）	**cuòguài**	blame someone wrongly
撲哧（扑哧）	**pūchī**	snigger, titter
惡作劇（恶作剧）	**èzuòjù**	practical joke, trick, prank
冷冷地	**lěnglěngde**	coolly
當時（当时）	**dāngshí**	at that time, back then
唉	**ai**	oh!
愣愣地	**lènglèngde**	stupefied, blank
不肯	**bùkěn**	not willing
煩擾（烦扰）	**fánrǎo**	bother, disturb